JN064536

切実なる批評

――ポスト団塊／敗退期の精神――

高　啓

目次

はしがき

はしがき

ヘーゲルに「ミネルバの森の梟は黄昏を俟って飛び立つ」という箴言がある。ミネルバの梟をヘーゲルのいう〈時代精神〉の謂いだと解釈すれば、ある時代の〈精神〉（あるいは思想の表現）はその時代が幕を降ろしてから、つねに遅延して立ち現れるということになる。この箴言をじぶんは「ミネルバの森の梟は暁を俟って飛び立つ」と（誤って）覚えていた。というのも、夜行性の梟が「黄昏」に飛び立つのは当たり前であって、時代に〝遅れて〟飛び立つというのなら、それは「暁」であるはずだと勝手に想い込んでいたからである。

さて、言わずもがなではあるが、本書の題名を『切実なる批評―ポスト団塊／敗退期の精神―』としたことについて少しだけ触れておきたい。

筆者は一九五七年生まれ。所謂「団塊の世代」（狭義では一九四七〜四九年に生まれた第二次大戦後の「ベビーブーマー」たち）から約一〇年遅れて産み落とされた。

「団塊の世代」が政治、文化、社会の領域において新しい時代を作り始めたあの熱き〈六八／六九〉年には、筆者はまだ小学生、それも秋田のちいさな城下町の商店街を遊び廻るギャング・エイジの鼻たれ小僧だった。だが、なぜかあの時代性から精神に深い刻印を受けつつ、やがて思春期から青年期を迎える。それがどのような刻印だったかは、本書に収録した複数の論考において幾通りかの言い回しで記されているが、とりあえず一言でいうなら、それは〝遅れてきた〟という意識である。一九七五年に二三歳で自死した詩人・立中潤は、このことを「先験的な『自立』」と自己規定した。（この「自立」という概念はもともとは吉本隆明のものである。）そして、筆者はこれを引き継ぐかのように、アンビバレントな意味を込めて〈先験的自立〉と記述している。

この〈先験的自立〉をじぶんに刻まれた固有な時代精神と見立て、それを「敗退の自然的な過程を、生き様において了解する」（立中潤）という自己覚知のもとに、花田清輝の「復興期の精神」を反語的に意識して、「敗退期の精神」と名づけた。〝遅れてきた〟じぶんはぼーっと過ごしてきただけだから、「後退戦」（この言葉には手垢が付きすぎているが）をたたかってきたなどと虚勢を張る気はさらさらない。だが、あの時代への憧憬に裏切られ、次第に荒涼としていく失楽の時間を生きてきたという意味では、ずっと「敗退期」を生きてきたような気がする。

本書は「団塊の世代」が生きた「あの時代」を直截的に論じるものではない。またここで「団塊」という言葉で指し示されているのは、前述のような狭義のそれではなく、戦後すなわち一九四五年から五一年くらいまでに生まれた世代のことと看做しておいていただきたい。（なぜなら立中潤が五二年に生まれ、大学入学が七〇年で、少しだけ〝遅れてきた青年〟だからである。）

つまり「ポスト団塊」とは、「あの時代」に遅れてきた世代の人々のことを意味している。そして、では「ポスト団塊の世代」とはいつまでを指すのかといえば、それは暦年やアルファベットで規定される世代の謂いではなく、本書に記されている内容を幾許か自らに近しいこととして受け止める読者の属する世代まで、ということになる。もうお察しいただいていると思うが、筆者自身の想いとして、それはこの時代を生きる若い世代をも含むものと想定されている。

じぶんに刻印された時代精神は、ここにいまやっと飛び立とうとしている。あっという間に時が流れ去り、黄昏時どころか翌々日の白昼にでもなったような気がする。だからこの〈精神〉は、梟というより、あの宮沢賢治の「よだかの星」みたいなものではないか。昼にも夜にも受け入れられないかもしれないが、それでもじぶんは、この〈精神〉を受けとめてくれる未知の読者を求めている。

ここに収録された文章の表出は、もっとも古いものが一九八一年、もっとも新しいものが二〇二一年と、足掛け四〇年にわたっている。論考を並んだ順に読んでいただきたいのではあるが、第1章から第3章までは生硬で取っ付きにくいかもしれない。この種の青臭くて気負った文体に馴れていない方は、比較的最近書かれた第9章「草彅剛のヒトラー」、第10章「〈路上〉なんてものはない」、第12章「極私的『戦後民主主義教育』論」などから読み始めていただければ、本書の世界に入りやすいのではないかと思う。

なお、巻末の【解題】に、各論考がどんな背景をもち、どんなモチーフで書かれているかを簡潔に記した。表題を見ただけではイマイチ興味が湧かないという読者は、初めにこちらをご覧いただきたい。

本書収録の各論考の表出については、以下の方々にお世話になった。

発表の場を与えてくださった『山形詩人』の高橋英司氏、月刊『場』の岩井哲氏、『詩的現代』の愛敬浩一氏・樋口武二氏、『真壁仁研究』への寄稿をお誘いいただいた木村迪夫氏、立中潤論をきっかけに交流していただいた安田有氏、そして四〇年余りにわたって筆者の表現をもっとも真剣に受け止めてくれている畏兄・貝原英幸氏。

皆様に心より感謝申し上げます。

二〇二三年九月　高　啓

1　オウム　その不可能性の中心

オウムの事件は、じぶんにとってひとつの新たな意味をもつことになった。それはじぶんを、既視感を伴った、それでも間違いなく新たな地平に佇たせる。

マスコミを通じて届けられるオウムという教団やその教義や教祖や彼等が為出かしたとされる事件に関する個別具体的な情報は、ただたんに〝ふざけている〟という鼻白い感懐を連れて訪れるだけなのに、いつの間にかそれらの情報が形つくる具像のイメージは後景に退き、抽象的でかつはどうしようもなく凡庸な誰かの風貌が迫り出してくる。

そして、この〝つまらなさ〟は逃れようもない託宣を垂れてくる。その託宣を旨く表現することができずにこう呻くだけなのだが、「何かが完全に終わってしまった」ようなのだ。

いや、「託宣」などと他者にも関わりがあるかのような物言いをすること自体がしらけた話だと看做してもいい。あらゆる関係への幻想がもっとも純粋な姿に還元され、しかもそこで命脈を断たれるような場所を開示してみること。それは、「オウム真理教」及び「オウム事件」によって開示された言説の時空を〝その不可能性の中心〟で受け止めることによってはじめて可能になるように想われる。

それを求めるのだが、他の誰もがこの望みに応えてくれそうにはない。そこでじぶんは、その引き受け手を最後の候補者に、つまりボンクラ頭のこの自分自身に求めなければならないようだ。

一　共同観念の不可能性

オウム事件への関心は、〈現実否定という観念の行方〉という視角からやってくる。もちろんここでいう「行方」とは、一青年が周囲の人間に異和を感じるところからはじまり、「地下鉄サリン事件」においてそうであるように、現実世界を体現しているもの、つまりは不特定の世俗人（いわゆる「一般市民」）の殺戮へと至る過程である。

だが、オウムは革命をめざしたかどうかという議論は大して意味をもたない。あれが一種の倒錯した革命志向だったのだと看做す者も、そのように語る者にとんでもないと噛みつく者も、ともにいい気なものなのだ。革命ごっこでもハルマゲドンごっこでも人は殺せる。この事件について「革命」という言葉を用いて何かを語ろうとする者は、たとえ否定的に語る者であろうとも、すべからく「革命」をどこかで何かたいそうな事柄であると、意識的または無意識的に看做している。オウム事件ところで、しかしなお、じぶんもまたこの手合いの一人かもしれぬ。じぶんはいま、オウム事件を語ることで革命という幻想の変質を語ろうとしているからだ。

さて、人がそのアドレッセンスにおいて〈知〉の世界に目覚め、じぶんを取り巻く「現実」への異和や反発を感じ、言葉を通じてそれへの反応を展開していく過程。それはこれまで知的な「自然過程」であると看做されてきた。この知の自然過程の途中の一局面に「革命」なる幻想はその姿を現す。

この幻想はヤヌスのようにふたつの相貌をもっている。その一方の顔は他者との共同的な祝祭空間で類的な生の感触を得たいというロマンティシズムであり、他方の顔は党派観念や権力欲に規定される対他的なニヒリズムである。ここで改めて忘れていたことに気づくかのように言い直すなら、革命という幻想は、たとえ生の力動感を伴った祝祭的なイメージで捉えられたとしても、また逆に暴力や権謀術数による他者への支配という陰質なイメージで捉えられたとしても、必ずそこに対他的な関係意識を孕んでいるのだ。

さて、人々はそれぞれの知の自然過程の中で、まさにそれも自然な成り行きであるというように、革命という幻想から醒めるという過程をもつ。しかし、革命幻想から「醒めた」という者の、その醒めた理由とは何か。そこには、革命幻想を共有していたかに思えた他者への、それも極めて具体的な他者の言動への異和そして幻滅以外に何かがあるだろうか。

すべてを貫くのは、革命的な他者との関係の希求と、希求ゆえの失望と、そしてその否定という一筋の過程である。いわば〈現実否定という観念〉は、自らが産み出した革命幻想を、自らの本質に根差した性向によって否定する。

こうして、革命という幻想はそれを抱いた多くの者にとって、その者の〈現実否定という観念〉の一過程にすぎないのだと改めて捉えられ、次にはそれを「一過程」として過去へ送り込む機制への視角がもたらされる。それは、〈現実否定という観念〉が、つねに／すでに、関係から疎外（＝外化・折出）されつつも関係として生滅していることを思い知らせる。

さて問題はここからである。

ところで、オウムのふざけきったカルマ戦線には、関係への希求が、言いかえれば不特定多数の者たちとの共同性への希求が存在したと看做せるだろうか。あるいは、不特定多数の者たちとの共同性を夢見、それが裏切られたことによる憎悪があったといえるだろうか。

このように問う問いを、また逆の方向からの問いとしても発することが可能かもしれない。オウムの信者集団には、ひとつの思想集団、あるいは実践集団としての共同の幻想、すなわち党派観念がほんとうに存在したのだろうか、と。

この問いに自答するのは、むろん注意深い洞察からではなく、殆どじぶんの直感的な感受からなのだ。これがたんなる思い込みからする弛緩した物語りの創出に過ぎないとしても、じぶんはそれを自分に禁じない。

したがって、オウムが新たにもたらす不可能性の第一は、〈現実否定という観念〉が他者との共同性への（ある場合には倒錯した）観念を欠いたまま過激化する可能性を、はじめて開示してしまったということである。

かれらの生成する観念物質は、他者という関係の有機物を含有しない。その「革命」戦線からは共同性が消えている。これは他人を巻き込まない「革命」だ。他者なき革命に、無差別殺人のサリンはあまりに相応しい。

ここではまったく、連合赤軍事件で演じられた党派観念という転倒の可能性を取り払った〝自然科学的〟革命が演じられようとしたのだ。

この〝自然科学的〟革命は、もちろん原始仏教の思想から帰結されたものだ。

オウムは仏教の教義から逸脱しているとか、仏教の教えを本当に理解すればオウムの倒錯から覚醒できるとかいう言説については、これを連合赤軍事件とマルクス主義に置き換えてみれば、その欺瞞性が途端にあきらかとなる。

連赤事件を、あるいは文化大革命を、あるいはまたポルポトたちの仕業を、〃あれはマルクスの思想を理解していない者たちが、マルクス主義以前の低級で愚劣な思想に基づいて為出かしたものだ〃と考えることは虚妄だ。

そう、あれこれの倒錯は、マルクス主義のみならずマルクスの思想の〈不可能性の中心〉で捉えられなければならない。とすれば、原始仏教における〈現実否定という観念〉こそが、オウム事件において新しい不可能性を開示したとみるべきなのだ。

あるいはまた、逆にこう言うべきかもしれない。共同性への幻想が消滅したとき、〈現実否定という観念〉は、かつてのマルクス主義という意匠に代わって原始仏教という意匠をまとったのだと。おっと、普段ならこの事態は「様々な意匠」という視角で大団円を迎えるのかもしれない。だが問題は、ひとはマルクス主義を脱ぎ捨てるほど簡単に原始仏教の観念を放棄することはできないという点である。

これがオウムの開示した新たな不可能性の第二。すなわち、〃転向の不可能性〃という訳なのだ。

二　転向の不可能性

ここで「転向」というとき、この概念をめぐる種々の議論につんのめることを避けるために、ただ曖昧に〃ある理念や観念の拘束から自由になること。その理念や観念を相対化し、それに、幻滅し、さらにはそれを棄てること〃という程度に想定して話をさしかける。

だが、本当は転向の本質を、〈現実否定という観念〉が個々人の精神の軌跡のなかでいわば行くところまで行ったところで、ある契機によって解体したり萎えたりして、観念が〈現実〉を受け入れるように還ってくる過程だと看做したいのだ。

だから、つまらない話のようにみえるかもしれないが、転向の問題は今日では〃転向の契機はどんなことだったのか〃とか〃転向の過程でどんな思想転回の軌跡が描かれたか〃とかいうことよりも、〃還ってくる観念を受け入れるものはそもそも存在するのか〃、〃もし迎え入れるものが存在するとすれば、それは何か〃ということとして現われてくるはずだ。

ようするに、ここにおいて転向の問題は、〃転向は可能か〃という問いとして問わなければならない。こう問わざるをえないことがたぶん現在の、すなわち〃オウム事件以後〃の状況そのものだと思える。

かつて、吉本隆明は転向の意義を「日本の近代社会の構造を、総体のヴィジョンとしてつかまえそこなったために、インテリゲンチャの間に起こった思考変換」とし、思想する者が「優性遺伝の総体である伝統」から足を掬われたところにその核心をみた。(註1)

しかし私たちの現在において、観念的に行くところまで行き、何かの躓きの機会(たとえば公安警察に拘束されたというような場合)に、私たちの精神へふと地表から大きな掌を延ばして足元を掬い、熱した頬を「優性遺伝の総体である伝統」に押し当ててくれる父性的なもの、あるいは母性的なものはどこかに存在するだろうか。

いや、まさに、あの『村の家』（中野重治）の時代に「優性遺伝の総体である伝統」と看做されていたもの、さらには、むろんそんなものはすでに存在しないとアタマでは合点していた筈なのだが、それでもつい昨日まで家族やら近隣の婦たちやらが交わす日々の会話のなかに確かに探り当てられたような温かな場所、大それた罪を為出かし世間から非難される息子や娘をそれでも受け入れてくれるかのような親和の記憶が、振り返ると悉く消え去っている。

また、こんなことを言うもっと手前で、オウムの信者たちは原始仏教の小乗的な志向性から教団と教義（思想）に入り込んだのであって、そもそもの初めから社会変革のヴィジョンを抱き、社会すなわち不特定の他者たちに訴えかけていくという意識など殆ど持っていなかったのだから、変革の思想を転回させることなどあり得なかったのだと言ってしまえばそれまでなのだ。社会変革の志向がないところには訴えかけるべき相手としての他者が存在せず、やがて自分を幻滅させてくれる筈の同行者としての他者もまた存在しない。

息子や娘たちの行く方自体に関係で躓く契機がなく、彼等の足を掬ってやるべき「優性遺伝」の幻想も失われていたのだ。

ところで、であるがゆえに、テレビが伝える滝本太郎という弁護士のオウム信者たちへの呼びかけ、〃こっちに還ってきなさい〃という声は、一種異様に醜怪な響きをもっていた。

かつては〈古里〉の〈母〉に表象されていた幻想体の受容性・抱擁性を、ひとりの不気味な人相の弁護士が、敢えてベトベトの甘い声で再現しようとしている。それに生理的な嫌悪の反応を覚え、欺瞞の匂いを嗅いだ者は、無意識のうちにことの性質を感取していたのかもしれない。還ってくるものを迎える〝こっち〟はゲマインシャフトの幻想としてもまた家族という〈対なる幻想〉としてもすでに存在しないのに、なにを白々しいことを、とでもいうように。

いや、このことを最もよく認知していたのは当の滝本弁護士本人であったかもしれぬ。あの姿を、生理的に反発されることをあえて厭わず、なりふりかまわぬ粘着性を仮装することで転向の不可能性に架橋しようとする自覚的な演戯であったと看做しうるならば。


さて、このことを、また別の方向から照らし出しているのが、オウム事件をめぐるマスメディアの言説だ。

マスメディアやそこに登場する者たちは、オウムを市民社会に敵対する集団だとしてこれへの敵意をむき出しにした。地下鉄にサリンを撒き無差別殺人を行った(と信じられた)のだから無理もないと思えそうになる。(じっさい、地下鉄サリン事件からいくつかの異臭事件が発生し続けた時期、幾度か東京の地下鉄を利用したじぶんも、あの異様な街の雰囲気に人々の不安と名状しえぬ憤りのようなものが充満しているのを肌で感じたものだ。)

だが、ここで微かな異和に天眼鏡をあてるとしたら、そこにはかつては恥かしげに、あるいは一抹の自嘲を伴って口にされていた「市民社会への敵対」という言い草が、全面に臆面もなく迫り出してきていたのだ。カチッと、なにか小さな止め金が外れる音がした。

このように口にする者は、意識的にか無意識的にか自分を「市民社会」の主役か、あるいは典型的主体として前提している。あるいはまた、自分がそう思うものが「市民社会」という正規(?)の世の中なのだという強固な思い込みを持っているようにみえる。

おれたちは現実世界の殺伐さに耐え、それでも社会的な規範に従い、毎日スシ詰めの地下鉄で脂汗を流して生活を繰り返している。オウムの修行などより余程難行苦行の仕事や職務上の関係の困難さに堪え、そこから自分をコントロールして色や香のあるものを見出し、私生活の愉楽をつくりあげている。これこそが価値の中心でなくてどうする・・・。そんな感懐が言説を送り出す表情の裏がわに、恰もニヒリズムのようにびっしりと張り付いている。法的なたてまえなどお構いなく、とにかくオウムの犯罪を暴こうとするマスコミやその登場者たちの指弾的姿勢は、だが一般市民の多くの感情に支持されていたのだと言える。

マスコミに表象される「インテリ」や「市民主義者」は、ここで「一般大衆」と限りなく近似する。ここでは既に吉本隆明のいう「大衆の原象」がインテリ的志向と対峙的に語られ得るような基盤が消滅しかかっている。

この言説の地点からは、犯罪をなしたオウムの信者たちは無論のこと、幾許かの〈現実否定という観念〉をもった精神の軌跡を辿った信者たちも全てひとからげに〝甘ったれた〟規範的市民社会からの落ちこぼれとして規定される。そして、ここには最早どのようにも、〝還ってくる者を迎え入れる〟という融和の契機を見い出すことができない。

いや、こんな言い方は逆立ちしている。ほんとうはこのように言うべきなのだ。オウムの信者たちは、どんな社会的な意味付けの弁護も成り立ちえない地点から、いいかえればたんに〝甘ったれている〟としかいいようのない地点から、つまりはそれだけ「純粋」な地点からあちら側に出立しているのだ。

現実社会におけるあれやこれやの対立や矛盾がかれらの教義と教団と行動を帰結したのではない。

人と人とが関係して社会を形成しつつ存在しているという、普遍的・根源的であるがゆえにその意味でもっとも「純粋」な原理から、かれらは産み出され、外化された。

「市民社会を守れ」という立場からオウムを指弾した者たちは、それがマスメディアに登場する「ジャーナリスト」だろうと「弁護士」だろうと「元検事」だろうと「精神科医」だろうと「音楽家」（?・）だろうと、無意識のうちにこのことを察していた筈である。そして、マスメディアや警察にやり過ぎだとの意識を持ちながらも、狂暴な防衛本能でこれを支持した「一般市民」こそが、このオウムのどうしようもない新しさを深く感知していたにちがいない。

かれらオウム信者たちの「純粋」な地点とはどこか。それは教団を離脱した元信者が語るのを俟つまでもなく、「自分はなぜ存在しているのか」、「そもそも存在しているとはどういうことなのか」、そして、「存在しなくなるとはどういうことなのか」と問いはじめるところ、いわば関係からの〝純粋疎外〟を意識化してしまう場所なのだ。

もちろんそんな場所はオウムの信者でなくても近しいものだ。私たちが自意識とか自我とかという言葉を口にするとき、いつでもこんな場所が足下にさっと広がっていく。私たちがそれにぞっとして冷汗が流れるのを感じながらも、精神科の世話になったり信仰の世界に入り込んだりしないでいるのは、ほんのちょっとした拍子にこうした生真面目な問いを相対化する場所、つまりはあれこれの、これとは別の関係性をもっていたからというだけに過ぎない。

だが、このような問いのまえに原始仏教の思想とそこに至るためのヨーガの修行という方法論がもたらされたとき、つまり「生死を越える」というふざけきったモチーフが、身体の修行を通じて達成されるという冗談のように退行的な妄想が信じられるとき、それはあらゆる他者との関係幻想の失効を告知しているだろう。

残ったのは「身体」であり、「生死を越える」ことだという。

では、関係をめぐる幻想はどうなってしまったのか?このように問うことが、じぶんたちをオウム事件が新たに開示した不可能性への、第三の視角へと引導していく。

三　関係の不可能性

宮台真司はその刺激的な著書『終わりなき日常を生きろ』（一九九五年・筑摩書房）のなかで、「終わらない日常」と「さまよえる良心」というキーワードによって、このオウムを産みだした時代の情況を描きだしてみせた。

まずは彼の行論を一瞥しつつ、それと私たちの〈現実否定という観念の行方〉という視角が切り結ぶ像をもとめていく。

そこで宮台は「さまよえる良心」という概念を次のように導き出す。

私たちの社会には一神教の絶対神はいない。だから神の前で感じ入る「罪の意識」もなく、神のまなざしの前で抱くがゆえにそれを他人から指弾されても揺るがぬ「内的確かさ」としての倫理も、もともと私たちには欠けていた。この社会の規範は共同体のメンバーのまなざしに依るところの「外的確かさ」としての道徳であった。

しかし、高度経済成長の過程で伝統的なムラ共同性は急速に解体し、道徳の母体が消えていく。しばらくは愛情で結ばれた近代家族の幻想がこの母体の不在を埋め合わせていたのだが、やがて一九八〇年代に入ると、私たちはこれら良心の「基礎」がすでに消えていることに気付く。

「倫理なき社会」で「道徳の母体」が消失するとき、そこには「私たちが良心的存在たりうるのはいかにしてか」という問題が大きく浮き上がり、人の良心を探し求める観念は、いわばヒトダマのように「様々なる意匠」へと彷徨い出ていく。つまり、オウムもまたこのヒトダマを吸引した「様々なる意匠」のひとつに過ぎないという訳だ。

また、宮台はそこで「もちろん今でも私たちの社会には『良き人間でありたい』『良きことをしたい』と望む人間が多数存在する」とも述べ、良きことへの希求が原初的な前提であるかのように行論を展開している。

しかし、私たちはこのような情況への公式的解釈で満足する訳でも、良心という言葉を前提とした精神論的解釈に納得させられる訳でもない。私たちはもうほんの少しだけひねくれている。

「良心」とここで言い記すとき、それは何も福祉活動に参加したとか、献血に協力したとか、そんな自分の行為に充実感を感じるような日常感覚の位相に止まる代物ではない。宮台もよく覚っているように、それは非日常の「輝かしきもの」を追求して行かざるを得ないところまで自らを追い詰めていく、ある意味では狂おしい観念なのだ。

だから、ここで私たちは、「良心」とはあるものの裏返しの姿だと言い切らなければならないだろう。それは、〝俺はおまえたちのようになりたくない〟という周囲の人間に対する拒否の心理に根拠をもっているのだ、と。

言い換えれば、「倫理」や「道徳」をいじくって精神論的に理由づけられるよりも、それは寧ろその端源において、心理的さらには〝神経的〟に感得されるようなものだ。

ひとが「輝かしきもの」の希求へ追い立てられていくのは、〈現実否定という観念〉による。「良心」とは、いわばその昏い否定の感覚にたいして意識が被せたカモフラージュ用の衣装の謂いである。


さて、このように、宮台のいう「さまよえる良心」を〈現実否定という観念の行方〉という視角から捉え返したとき、彼の言うもうひとつのキーワード、「終わらない日常」のもつ意味は、さらに、〝その先〟の不可能性を差し出すことになるだろう。

宮台の情況論は次のように続く。


「終わらない日常」とは、この社会の表層が飽和状態を迎えもっとも豊かで「自由」になった一九八〇年代後半以降のイメージである。

すなわちそれは、〝もはや輝かしい進歩もないし、おぞましき破滅もない。自分が全身全霊を賭けてそこに生きるべき崇高な時間も、もはや永久にやってこない〟という停滞的終末論の世界感知であり、〝ユートピアでありつつ、同時にデストピアでもある日常〟で、個々人が一人ひとり〝等身大の戯れ〟を生きなければならないという時間意識のことだ。

こんな意識の世界では、ひとは自分が「輝かしさ」を得られない理由や自分の人生に生きる手応えを感じられない原因を、決して自分以外のものに帰することができない。また、自分がうまく日々の戯れを生きることができない理由や生活上の不如意を、自分自身の「コミュニケーション・スキル」の未熟さ以外に見い出すことができない。この意識の時空では、コミュニケーション・スキルが足りなければ、さえない奴は永久にさえず、もてない奴は永久にもてない。そして苛められる奴はどこまでも苛められるという感知に膠着される。

私たちはここで初めてほんとうに「自由」な時代を迎えた。つまり、じぶんを周る世界の不如意がすべて自分の関係の失敗に起因し、その失敗がすべて自己責任に帰せられるという時代を生きねばならなくなった。これがキツイのだと宮台はいう。

そしてさらに宮台は次のように問い、理路をすすめる。

ところで、戯れに失敗している「自分」をその「全体として」包容してくれるものはなにか。それは恋愛と宗教という契機だけである。社会システムの構造上、家族構成への背を押されることもあって、ひとは宗教よりも恋愛のほうに早くから促されるし、また恋愛のほうが遥かにコミュニケーション・スキルを必要とするのでもあるから、恋愛に失敗した者が宗教に促される。

さて、ここまできて宮台のこの著作は「『永久に輝きを失った世界』のなかで、『将来にわたって輝くことのありえない自分』を抱えながら、そこそこ腐らずに『まったりと』生きていくこと」のできる「知恵」を身につけることを説きつつ（ここでいい気なものだと半畳を入れたくなるのだが、それでいて）抗し難いある種の社会イメージをちらりとこちら側に垣間見せて終わる。

私はこの人の、情況論を物語るのに学問的枠組みから託宣を垂れるような手法にいかがわしさを感じるが、このいかがわしさと自身の世代的経験に（つねに／すでに）立脚した弁証こそがまた、この学者の魅力だとも感じる。だから、託宣は御免こうむりたいが、その行論には異和より共鳴せざるを得ないものの方をより多く感じる。

では、かの論理のうちの、なにがこちらの芯にズシンとこたえてくるのか。つまり彼の論理のなかのどこが私たちにとって切迫感をともなって感じられるのか。それは、自分の不如意が全て自分自身の責となることからして決して逃れられない〃自由〃な次元に私たちが存在しているということの認知だ。

振り向けば、つい先ごろまで私たちは自分たちの生き難さや精神的な辛さを社会の矛盾や不合理や進歩の遅れに帰することのできた時代に生きていた。3D画面を見るようにくるりと視角を変えて見れば、たとえばかつてこの国で「マルクス主義」と漠然と呼ばれていたものが、たしかに連合赤軍事件にまで至る観念の転倒を帰結する一方で、いかに人々の救済措置としての機能を果たしていたのかに思い至る。

それは、個々人の外部に、すなわち矛盾に満ちた既存の社会関係や支配的イデオロギーにおまえたちの生き難さの原因があるのだと指し示し、それに抵抗しそれを変革しようとする「良心」（私たちの言葉では〈現実否定の観念〉）の受け皿となり、つまりは余剰な観念を回収し、余剰性を処理しては観念を「現実」へと差し下す（転向の）回路を用意してきた。しかし、既にイデオロギーの時代は去り、社会変革の幻想は失効し、さらにはそんな観念が存在したことさえも忘れ去られて、いまやまったき〃自由〃が周ってきた。

ここでは、私たちはつねに関係に自己責任を負わねばならず、そのためにつねにナマの関係意識として存在することを強いられる。このとき、私たちをめぐる関係はつねに／すでに〃私的〃なものとして現われるほかないものと看做されている。だから、私たちは「関係」意識として存在するのにそれはその実いつも「私」の方に内向して、私的な与件へと、つまりは自分の身体的属性や、自分自身の関係における流通イメージへと膠着されるのだ。

自分は他人からどう見えるのか。その身体や顔だちが好意をもたれる類のものか。そして、他人たちと学校やら職場やら趣味の集まりやらでうまく人間関係を取り結んでいけるのか。

まわりにいる誰かれとうまくいかないのは、自分の容姿が不細工だからであり、あるいは自分が暗い人間にみられるからであり、あるいはまた逆に目立ちたがりにみられるからであり、結局は自分の人間関係能力に欠陥があるからであり、所詮自分はこの世間でうまく生きて行けない人間だからであり、・・・。

「世界」はひどくよそよそしく酷薄なものなのに、そのように感じられれば感じられるほど、またしつこく自分の意識にまとわりついてくる。やがて、それはすべて「自分」の在り様それ自体と未分化なものとしてそのようにあるのだという感知がやってくる。ここで世界に対して〝私的〟に関わる関係とは、もうほとんど〝エロス的関係〟というべきものとして現われている。

だが、ちょっと待ってくれ。〝エロス的関係〟とは、かってはまさに「恋と革命」(正確には「革命と恋」)に託されて流通した観念ではなかったのか。そう、かつて「革命」は祝祭的な共同性(「瞬間の王」)を生きる至上の時間として夢想され、「恋愛」とは〈対なる幻想〉の中に自分の〝性〟すなわち〝生の手ごたえ〟を感じさせてくれる磁場として希求されたのではなかったか。

いや、そんなものは嘘っぱちだったとツバを吐いてもいい。だが、たとえ仮言的に言うのだとしても、私的関係がすべからくエロス的関係として現われるというとき、そこには少しくは性愛のもつあの暖かく湿った気配、つまりは人を全的に抱擁するような母体的気配が感得されてしかるべきではないか。

けれど、私たちのエロス的関係は、恰もパラノイアの蜘蛛が自分を中心にして張り巡らせたネットに膠着され、しかもそのネットが伝えてくる獲物の動きにいちいち神経を逆撫でされ恐慌しているような光景を想わせる。「世界」が「私」につながる結節のシナプスはエロス的であるはずなのに、まさに視線に震えがやってきて、自分が醜怪な毒虫のようにうごめいているイメージに襲われる。そこでは、エロス的な〝関係〟が自分の変成されたイメージとしてしか現われない。しかも世界は私がそうであると同じように酷薄にささくれだっている。それはもう少しで被害妄想と呼ぶべきものだ。

じぶんは、一九八二年に発表された吉本隆明の「変成論」が、情況論（「マス・イメージ論」）の連載第一回でありながら、なぜ古典ともいうべきカフカの『変身』を題材とし、しかも作品に密着したかのようにして解釈するだけで成立しているのか、そして、にもかかわらず、なぜそれが自分にも際立った切迫感を伴って感じられるのか、正直言って不思議だった。だが、それはこの〝オウム的九〇年代〟から振り返ると、まさに私たちの〝関係の不可能性〟を表白していたのだったと想われてくる。

さて、宮台も言うように、私たちはコミュニケーションの自由を求めて、またある場合には強いられて、自分たちを産み落とした既存の関係から自由に自由になろうとしてきたし、また現に自由になってしまった。その関係とは、ある時点では天皇とか国家とかいう旧来的な共同幻想や支配被支配関係が明視的に看取される地域共同体であり、家父長制的な家族であり、また別の時点ではじとっと湿ったエディプス家族であり、あるいは全的忠誠を求める企業共同体であった。

そしてまたその一方で、私たちはこれらを否定しつつ成立し、やがては硬直した党派観念にまで収縮していくことになった「進歩的」イデオロギーの理念や当為の脅迫観念からも解放された。

私たちは自由になった。そしてこれはもちろん快楽だった。たとえばじぶんなら、二〇代の後半に母親を亡くして以来、この快感に身を震わせながら生きている。

なぜ、この自由と快感に堪えられずまたぞろ現実否定の観念に膠着している連中がいるのか、こういう連中と無関係でいられるなら、ほんとうはたんに馬鹿馬鹿しいタコ野郎だと看做してうっちゃっておきたいのだ。だが、ふと気付くとじぶんの快感はどこからやってくるのかが、たいそう心もとない。その快感は、足元の薄い戸板一枚を踏み破れば、途端に底知れぬ不快の荒涼に飲み込まれていくかのように危ういものだ。

この言い方は、なにも快感が過去のものだったという意味ではない。快感はなお日々において生じ続けている。すると、自分たちの快感は、現在の浮遊感にも似た快感と、過去の記憶の重い被拘束感や息苦しさとを同時に時間意識が飲み込むときの、その両者の落差の感覚に発祥していることに想い至る。

私たちは過去の記憶と現在を同時に飲み込むことでその落差を快感として感じる。これこそが快楽の正体だ。

しかしまた、現在の関係に疲弊したりイラついたりしているために感覚が衰弱して、このときいわばデジャヴのように、現在の感覚（快感）をその過去に経験したかのように錯覚する。つまり、快感はいつも郷愁のようにしてやってくる。

郷愁を感じるような記憶のなかに漠然とかたちを結ぶ過去の関係に、現実的にもどることなど真っ平御免だ。それでは快楽の無い世界に本封還りするだけだ。だが郷愁すなわち「失われゆくものの記憶」（宮台）なくしては快感を生きることはできない。

すると、これら「失われゆくものの記憶」を持たずにやってきた者たちは、〝ユートピアでありつつ同時にデストピアでもある日常〟において、どのように快感をえることができるのか。つまり、どのようにして「さらなる自由」を得ることができるのか。「まったり」と生きていくことの出来ない不器用な者は、なにから〝落差〟を受け取り、なにから自由になることが出来るのか。

おお、つまりかれらはなにを棄て去ることができるのか。否、棄て去るべきなにを、いま保持しているのか。

もちろん、〝関係それ自体〟とでもいうべき関係の純粋形態だけだ。

おっと、しかし考えてみれば関係に〝それ自体〟などという抽象的な在り様はありえないのだから、それは〝トリビアルな関係のすべてを含む関係意識〟とでも言うほかないものだ。そしてここに、オウムによって剽窃された原始仏教の理念が呼び込まれる根拠もまた存在した。

原始仏教は、「貧・病・争」が人間の苦しみのほとんどすべてであった情況の下で、それらの根本にある人間の欲求や欲望を棄てることでそこから自由になることを説いた。だが、そのモチーフは、欲を求めて足掻く他者を哀れみ、そのような姿になることを拒否するところから産み出される

ものでもあった

愚かなる家族や隣人を棄てよという理念。自分が浄化されるためには、関係を切り捨てなければならない。つまり、自分が浄化されるためには、棄て去られるべき関係がそこかしこに想定されなければならない。しかし、私たちの時代には「貧・病・争」に対応するところの、真に棄て去るべき重く息苦しい関係などみつけられない。するとここで、原始仏教の理念は、いわばその前提を欠いたまま、否、欠いているがゆえにこそ、その前提としての関係の在り様を、このとりとめのない日常の風景そのものへと変換させることを可能にした。

いや、逆に言うべきかもしれない。

日常の風景を嫌悪し、拒否し、哀れむためにこそ、人間的な欲求を否定してこれからの解脱をもとめる原始仏教の理念が引き寄せられたのだ、と。

会社や学校での些細な、しかし深刻な関係の不如意、隣人・友人関係で囁かれる他愛ない噂が差し出す人性の暗闇、個性的なファッションや携帯物で身を飾るそのすき間から覗くぞっとするような自己同一性・・・。

これ以上日常化できそうもない出来事へのこれ以上常態化できそうもない神経症的な拒否の観念に、つまりは〃関係一般の否定〃に自らの正当性を与えてくれるイデー。それがここでの原始仏教なのだ。

私にとって、このように原始仏教を捉え返すことはとほうもない不可能性の感知としてやってくる。そしてここで初めて、じぶんがオウム事件からなぜ〃何かが完全に終わってしまった〃という印象を受けるのか、その全く個的な感得の意味を悟る。

じぶんは、いつかは恥多きじぶんの人生から逸脱し、どこかでその精神を浄化することができるのだという幻想によってかろうじて日々を生きてきた。だが、その〝解脱〟という志向さえもが、謂わば日常からのたんなる逃げの屁理屈でしかありえないことがむき出しにされる。いまや原始仏教の理念はあまりに純粋化されたがゆえに神経症的な本掛還りに見舞われて、ありったけ退行した姿を晒すのだが、困ったことにそれはもともと解脱なんてそんなものだったのではないかという逆らい難い評定を呼び込みもするのだ。

いや、この感得が差し下す想い、つまりじぶんは決してこの現実から逸脱できないのだという閉塞感が問題だというだけではない。恥多きじぶんの人生を逸脱し、精神の静謐をもとめる志向性が、つまりは最終的に（たとえ死の直前であろうとも）いつかどこかでじぶんが浄化されるという観念を抱くということ自体が、他ならぬ〝関係一般の否定〟という白けた観念の道行に根差すものであること、もはやそれが明らかとなったのだ。

ところで、ここまで純粋化され（ということは日常化され）、否定されようとする関係とそこに至る意識に対して、面とむかって手を差し伸べられるものはなにか。宮台の言うところによれば、それは「まったりと生きるための知恵」だ。ようするにこういう神経症的なところへ陥らないような処世の技術を身につけよというのだ。

この志向を突き詰めて行けば、社会的価値にメリハリをつけて、細くて芯の通った規範と緩やかで広い価値自由領域を構成するような社会政策のほかには、結局のところ個々人へ向けたカウンセリングやケース・ワークを実践していくほかかない。むろん、それはそれでよい。やってみせてくれ、と言うだけだ。

だが、一方でこれを理念的な問題として考えはじめたらどうなるのか。

じぶんの考えによれば、それは原始仏教的な〝関係一般の否定〟の思想を、どう否定して行くかという課題として、つまりは原始仏教の否定の志向性を原始仏教自身の理念へと差し向ける課題として現われるほかない。

否定の否定。つまり、現実を否定する理念を否定する理念の方程化。それでいて弁証法の如く高次の統合を夢想するのでもなく、また現実の肯定へ還ることでもない、文字どおりのたんなる否定の否定。そしてそれが引き寄せる快楽とでもいうべき時間意識。

オウム、その不可能性の中心の、その向こう側に、いまはまだ、私たちはそれをぼんやりと幻視するばかりである。

註1　「転向論」『吉本隆明全著作集（一三）政治思想論集』（昭和四四年・勁草書房）六頁。なお、現在「転向論」は講談社文芸文庫『マチウ書試論・転向論』で読むことができる。

2　先験的自立者の憂鬱　―立中潤ノオト―

なぜ飢えているのだ、なにを求めて煩えているのだ、そんな自問を幾度も苦く噛む。わたしたちの根拠とすべき意味が、すべて喪われてしまっているがゆえに。〈世界〉が信ずるに足らぬものにみえるとき、だが、失楽の自己意識はさわさわと澄んでくる。

異常な集中度をもってあるものを見つめていると　すーとそれを跳び越えて行くかすかな〈影〉がある　〈おれ〉の目はゆっくりそれを追う　〈集中〉はかたまりのままに頭の片隅に移動し中途半端な部分でぶらさがっている　一抹の定まらぬ〈不安〉が様々に行きかい始める〈おれ〉は〈影〉におびえている　〈影〉こそ真実を帯びているという・・・嫌な思いが底辺を貫徹している　だから〈おれ〉の目は淫乱なひかりを発しギラギラ濡れている　炎で焼き尽くそうとねらっているのだ　生存本能の固まりみたいに見憎く〈おれ〉の面(ツラ)　鏡が復讐の松明をともしながら〈おれ〉に迫る　〈世界〉が地獄の炎につつまれ〈おれ〉はそのなかでザワワワワ笑いながら〈不安〉に打ちふるえ　どうしようもない〈影〉を求めている　ドタマの中央部が妙に重い・・・

「非連続現実〈夢〉」第八連・部分

わたしたちは、どこか不明瞭でけれど決定的な部分で置き去りにされてしまっているのではないか。たんに不可視の憂鬱を気どっているだけで、垂れ籠めた虚飾の地中にほんとうはぞっとする本質が存在するのではないか。そんな《一抹の〈不安〉が様々に行きかい始める　〈おれ〉は〈影〉におびえている》。

わたしたちには〈革命〉も〈実存〉も〈虚無〉もない。失楽の意識だけがなぜ存在するのか、それはわかっている。わたしたちの自我はその胚胎期の裡に〈幻影〉をみていたのだ。怒号は響し、街は荒れ、ひとびとは何かを追い求めていた。〈世界〉は混乱し、であるがゆえに生の軋みをあげていた。その貧しい〈原〉風景が、わたしたちの気魄に刷り込まれている。それが身体を疼いて止まないわたしたちの飢渇である。

研ぎすまされた自己意識の傍らをすーと跳び越えていく〈影〉とその〈不安〉。それは〈飢え〉の根拠の〈影〉である。それは〈真実〉かもしれない。けれど視えはしない失楽・・・。だからわたしたちはそれを追い続けねばならない。淫乱に、醜悪に、〈飢え〉に飢えるのは〈燃えるキリン〉の詩人ばかりではない。

だが、その〈影〉を求めて介入すべき世界は、わたしたちの想像力の視野に、どのように現れてくるか。

氷河時代も　焼けただれた噴火口もない　だらだらだらだらサナダムシのようにつながってい
る捨象捨象でこれほどのっぺらぼうな〈世界〉は二度とないような　だらだらだらだらまだま
だだらだらだらだら出したてのウンコのような軟度をもってだらだらだらだらつながっている
自動車が走っていてもラディオがわめいていていてもいつものように子供がケンカをしても〈世

界〉は何も受け付けない　〈世界〉が〈世界〉だけを取りもち　一際の介入を許さない　鉄柵が設置されているわけでもないのにどうしても介入できないんだ・・・だらだらだらだら〈世界〉はつながっている　オバアさんの乳房もだらだらだらさがっていて〈おれ〉はその乳房をふくんでいる―勿論目はぴったり閉じてだが―だらだら〈おれ〉の口から乳がたれる

同　第三連・部分

〈世界〉から拒まれているという意識は、けれど〈固有時〉としての自己の時間性＝論理性を生みだしはしない。言い換えれば、わたしたちは〈世界〉から拒まれていることによって、〈世界〉という全幻想と対峙する詩人となることができない。そして〈自己権力〉からあまりにとおい。それは思想的な、あるいは人格的な強さとか豊かさとかいうもんだいではない。〈擬制〉は変容していた。

〈世界〉の閉塞は、わたしたちの時代にあっては、まず個々人の疑似的な自足＝閉塞としてやってくる。〈国家〉の幻想も支配の岩盤も、本質的にはなにも揺らいではいない。けれど堪えられないのは魅力的にみえる具体的な人々の相貌が、わたしたちの飢えた想像力のまえでは急速に萎えていき、あの価値の体系へといそいそ帰依していくことだ。わたしたちは原子論に呪われている。〈世界〉は、わたしたちの想像力がその身近かな具体性に対峙した瞬間に、目の前に佇っているひとりのあいすべき自己閉塞となってわたしたちを忌む。そしてその姿は同時にこちら側の姿でもあるという想いをなし崩しに連れてくる。〈世界〉のだらだらは、わたしたちの腰もだらだら浸していたというわけだ。

〈おれ〉はオバアさんの乳房を吸いながらタバコをふかしている　鏡などかざしても〈おれ〉の面（ツラ）は見えない　咽喉からヌンメリ噴出する青啖が〈おれ〉の足の上やら畳の上やらをそそくさ行きかっている　暖かくて〈おれ〉の体温をエネルギーのままに吸い取って行った　おかげで〈おれ〉の身体は熱に飽（う）んで〈存在〉ばかりぐいぐい〈おれ〉に迫ってくる　まだバケツいっぱいほどの啖を〈おれ〉は持っているのだろう　なにか冷たいものがほしい　オバアさんの乳房というのは凝視すればやはり嘔吐気を伴うものだ　サラリと流しながらやっているからこそ我慢できるものだ・・・

同　第三連・部分

〈オバアさんの乳房を吸いながらタバコをふかしている〉とはどんなザマだ。それはわたしたちの在り様である。乳房は、わらを冠ってもいなければ、世界を載せてもいない。それはだらりとのびきっていてわたしたちの性器とおなじだ。〈世界〉のだらだらは〈おれ〉と密通している、けれどそのことによってわたしたちは〈世界〉という化け物を内部に孕んでしまっているのだ。〈世界〉のだらだらはわたしたちの咽喉から流れ出してくる。しかし、その〈青啖〉とは、わたしたちの表現ではないのか。わたしたちは、ただ自己異和のように〈世界〉を憎悪すればいいのだ。いくらエネルギーを奪われようと、いくら想像力をなし崩しにされようと、わたしたちは〈青啖〉を吐きつづけ、わたしたちの身体は猶ほ熱を帯びる。そしてアンニュイのなかで鏡に映らないわたしたちの面は、そのままで〈生存本能の固まりみたいに見憎く〉像を結び、その目は〈淫乱なひかりを発しギラギラ濡れて〉くるのだ。〈存在〉ばかりがぐいぐい迫り、〈おれ〉はもう〈さらりと流しながらやっている〉ことができない。
〈世界〉への介入が先験的に不能であること、わたしたちの表現はそこからはじまっているし、そこからしかはじまらない。だから、わたしたちは全ての前世代と後世代とにわたしたちの想像力の優位性を殆ど絶対的にいいわたすことができる。わたしたちの〈飢え〉はその根拠を喪失してしまっていたがゆえに無尽蔵だからだ。〈根拠〉は、——〈原点〉といってもいい——ただ〈影〉となってすーと跳びこえていくだけだ。わたしたちはそれを追いつづけねばならない。わたしたちはいつまでもふしだらに〈青啖〉をたれながしていく。尤も、それはまた幻聴を俟ちのぞんでは日々老いていくパブロフの犬のようにもみえるのだが。

蛙の目はどんより曇り始め　砂が海のように　陽炎のように　ゆらめき出す　上の方からギロチンのようにまぶたがおち　蛙は必死でそれをくい止めようとする　けれど　足がきかなくなってしまう　前へ進めなくなっちまう　蛙は眼力ふりしぼり　オアシスの冷たい泉を探す　ぼやぼやしい視野の中で唯ひとつのあはい〈憧れ〉のようなほの冷たい泉だ・・・しかし砂ばかりが続いている　そんなことはもう解りきったことなのだ　弱々しく間怠(まだる)んで行く身体(からだ)を意識しながらなおも蛙は歩こうとする　勿論方向など定かでない　そんなもんは必要ないのだ　ただ歴然たる〈証し〉が欲しかったらしい・・・蛙はなおも求め続けている　もうほとんど白い膜が目を蔽いつつんでしまった　足を伸したり縮めたり・・・地上で泳ぐ人間のように・・・砂の上で繰り返している・・・乾ききった皮膚　干乾らびて骨が浮きあがっている砂がサラサラ音たて舞いあがり彼を地下深く埋葬しにかかる静かな夕(ゆうべ)のことだ

同　第七連・部分

研ぎすまされていく自己意識に貼り付いてくるアンニュイと疲労感、それはわたしたちにとってなんと親和的なことか。そして〈証し〉や《あはい〈憧れ〉》への決定的な不毛感。〈夢〉ゆえの〈夢〉への不信。〈そんなことはもう解りきったことなのだ〉。〈そんなもんは必要ないのだ〉。しかし、〈蛙はなおも求め続けている〉。わたしたちの失望はあまりに過剰であるがゆえに虚無を侵犯する。

甘ったるく身体（からだ）が痒くて仕方ない　〈ここ〉をかけば〈ここ〉ではないと解り〈そこ〉をかけば〈そこ〉でもないと解る　意志（ママ）悪く一定しないあの痒さだ・・・ザワザワザワザワ〈おれ〉の口から鼻から目から入って来る　全くうるさいやつらだ　まつげをひっぱったり　鼻毛をむしったり虫歯の上でどんどんやったり・・・ヤツ等は盛んに〈おれ〉の痛点を攻撃してくる〈臓腑の深部へ基地を作れ！〉　これがヤツ等のスローガンだ　ザワザワザワザワ行進してくる〈おれ〉はうるさくて仕方ない　痒くて仕方ない　総ての感覚がおっぽり出されもう制御できない　毒腫瘍の建設は続く・・・

同　第七連・続わりの部分

おそらく、わたしたちはすべてこのようにして表現主体へと追い立てられていくのだろう。そしてこのように出立してしまった表現者にとって、あのだらだらの〈世界〉は、依然としてだらだらではあるけれどとにかく執拗(しゅうね)く拘わらざるを得ないものとしてみえてくる。いやむしろわたしたちの内部のだらだらこそが造反をはじめているというべきだ。

わたしたちの〈飢え〉は、その根拠の〈影〉を追って一向に飢えている。だが、その追いもとめる過程に様々の夾雑物がからみついてくる。つまりだらだらの〈世界〉はそのようにわたしたちが〈夢〉を〈夢〉として追うという事情を許さない。それは、わたしたちが再び拒まれた〈世界〉に喰らいつこうとしていることの逆画像のようにもみえる。

右へ左へ〈おれ〉は石をよける　見も知らぬ群衆供の汚ならしい腕！　ヤツラが炎に包まれた〈おれ〉に向かって激しく投石する　（〈おれ〉は〈おれ〉の内の〈影〉を追いかけているのにつまらぬ野郎供の外面攻撃にあっている）　薄笑いを浮かべよどをどんぶりとばかり口に結(ゆわ)えヤツラは〈おれ〉を蛭のように侮蔑する　〈面構(ツラ)えを見ろ！〉　〈テメイ〉の身体(からだ)に蚯蚓が這えずっているのをヤツラは知らないのか　(?)　〈おれ〉を殺(や)ることで〈世界〉から〈蛭〉が消えて失くなるとでも思ってやがるのだろうか―とんでもない話だ・・・〈テメイ〉の胃袋の中のものを吐きあげてみろ！数万匹の〈蛭〉が蛆虫の固まりのようになってあらわれるだろう・・・つまらぬ邪魔はしてもらいたくない　〈おれ〉は〈影〉を追いかけているんだ（中略）・・・とにかく〈おれ〉は〈オマエ等〉と悠長に話している暇はない　〈おれ〉は〈影〉を殺(ばら)さねばならないのだ　〈おれ〉の目がギラギラしてきたのが解るだろう　〈影〉があらわれた証拠なんだあ　どうか〈オマエ等〉投石を止めてくれ！（中略）〈ヤツ等〉の面(ツラ)を見ろ！今度は以前にも増してサディスティックじゃないか　小さな子供を死ぬまで打ちのめし何処か

に喜びを感じるあの母親達も　〈姦〉ばかりを繰り返しているあの男根魔達も　いっしょに連合
していやがる　もっとも多勢なのは通り過ぎてものっぺりしていて少しの印象も残さぬ馬鹿者
達――〈影〉に目奪われている間に　見ろ！この人間供だ！

同　第八連・部分

だらだらの〈世界〉が、膠状の観念の塊になって〈投石〉してくる。それはわたしたちのスケベ根性だ。わたしたちは〈影〉を追い求めて〈生存本能ゴリゴリに固まったセクト主義〉を貫徹しようとする。けれど、ほんとうはわたしたちの飢渇は〈影〉そのものの追求にあるのではなくて、その過程になだれ込んでくる観念の淫乱さに体現されているのだ。わたしたちはすーと飛びゆく〈影〉をもとめて修行するシュラマナの如くに飢えの根拠へとくだる。するとそこには憎悪の夜叉が現われて濡れた股ぐらへ誘うというわけだ。

だが、わたしたちの飢えは正覚にではなくて迷妄にある。そしてもんだいはこの迷妄が、研ぎ澄まされていく自己意識にとって対自的に現出するというところにはじまるのだ。

でもあの〈風景〉は許しがたい　〈ヤツ等〉は許せない　〈おれ〉は〈ヤツ等〉のひとりひと
りに復讐してやろう　せいぜい〈ヤツ等〉の面(ツラ)を覚えておこう　ザングリえぐってやる・・・
〈影〉よりも〈ヤツ等〉に対する〈怨み〉をはらそう　〈おれ〉は〈ヤツ等〉を殺してしまわ
ねばならん　〈ヤツ等〉の面(ツラ)の皮をえぐり　心臓をぶちぬいてやろう　〈影〉などもうどうで
も良い！　〈おれ〉は〈炎〉を抱いたまま〈ヤツ等〉につっこんでやろう　〈おれ〉は立ちあ

がった　〈炎〉は五メートル四方になお憎す勢いでメラメラ音たてている　〈おれ〉はゆっくり　次第に速く歩き始める　〈風景〉が少し壊れた　〈ヤツ等〉が少しづつ退却しだしたのだ　〈おれ〉は追っかける　走りだした・・・そうして一人をつかまえた・・・

同　第八連・部分

そうだ《〈影〉などもうどうでも良い!》といいきることからわたしたちの全てははじまった筈だ。いやむしろそういいきらなくては、わたしたちは身体の力動を想像力に転位させることができなかったのだ。そしてとり憑いた〈怨み〉の観念はまた、〈世界〉への逆攻であり、具体性との〈関係〉をもとめる道行きでもあった。けれどわたしたちのその逆攻はどのように報復されたか。

するとどうだ!・・・〈おれ〉の〈世界〉の炎がその瞬間消えてしまった　〈おれ〉はたった一人　ゴミクズのような人間になってしまった　男はあの機動隊員のような腕っぷしをし　ジロリ〈おれ〉を睨んで見おろしている・・・〈おれ〉はどうすればいいのだろう　(〈おれ〉は逃げだそう・・・)・・・むんずと腕をつかまれたぁ　〈影〉が走り回る　何かしら沸騰しだした・・・するとその男が〃今何時ですか〃と言う・・・〈おれ〉はそれを聞くと・・・忘然と・・・のたれて・・・しまった

同　第八連・部分

だからわたしたちは失楽の観念を許せないのだ。わたしたちの失楽はここに表出される〈赦免〉

の幻想に言いつくされている。わたしたちははっきりとした憎悪をもって〈世界〉と関係をとりむすぼうとした。するとその憎悪の〈炎〉は具体性のまえであっという間に萎えた。わたしたちはわたしたちじしんの憎悪にではなくて、〈世界〉のほうに深い闇を凝視してしまうからだ。だが、圧倒的である筈の、自らが〈ゴミクズ〉でしかないということを肝に命じなければならぬ筈の〈世界〉はわたしたちを震撼させはしない。〈影〉などもうどうでもいいという断念のようにみえる執着、そしてそのようにいいきることによってイメエジされた想像力の〈炎〉は、だが、〈世界〉の絶対的な岩盤に踏みつぶされたのではなくて、去(いな)されてしまったのだ。断っておかねばならないが、それは実際に権力に弾圧され、容赦されたか否かという次元のもんだいではない。失楽によって結晶していく自己意識はそれじたいのうちに〈赦免〉の幻想を抱え込ませられている。はっきり言えば、わたしたちは〈世界〉のくだらなさに心底凌辱されてしまっているのだ。

アンニュイはくりかえしくりかえし試みられたデスパレートな〈介入〉の果てに、しずしずとやってくる。あの〈怨み〉も〈炎〉もすべてがそれまでの〈過程〉であったかのように。そして、だが、そのようにのたれたわたしたちの傍らを、また〈影〉がすーと跳び越えていくのだ。それを追いもとめることが〈過程〉であるという冷たい自覚のなかで、わたしたちは猶ほ求めている。

わたしたちは、わたしたちの想像力の〈飢え〉を〈ヤツ等〉との関係として体現する。ここで〈ヤツ等〉は表現主体の自己幻想、それも自己意識に対して〈投石〉してくる観念として現われてきた。わたしたちは、けれど現実〈夢〉のなかで、それらの観念をみる。そこで観念たちは極めて不分明ながらも〈他者〉の影をおとしている。

《〈影〉に目奪われている間に見ろ!この人間供だ!》。

言いかえれば、わたしたちが現実〈夢〉をいきる以上、わたしたちは〈世界〉との決着のもんだいを、まず具体的相貌として立ち現われるところの〈他者〉との〈関係〉のもんだいとして捉えざるを得ない。良くも悪しくもわたしたちはそこから自己意識の対自化へ至らねばならなかったのだ。現実〈夢〉をくぐることで、想像力の〈飢え〉は〈関係〉への〈飢え〉へと転位する。そして〈関係〉への契機はあるとき情況のがわから〈政治〉となってやって来た。わたしたちはあの時代性に、ほんとうは対自化さるべき〈関係〉の闇を幻視しようと目を凝らしていたのだったか。たしかに〈政治〉はそのようにあったのであり、またなかったのである。軋みをあげる想像力をまえに、先験的自立者の憂鬱はそこからはじまっているのだ。

二　〈全共闘運動〉論

もし、ひとが幻夢を追いつづけるという行為によって、限りなく幻夢から覚醒しつづけなければならないとすれば、その過程は殆ど〈論理〉というあの逆説にちがいないのだ。狂おしく〈論理〉によって紡がれていく表現が、〈自立〉をめざしているのかどうかわからない。だが、それは辿りきらねばならない暗渠のようにおもわれてくる。

〈おれ〉の「連載ノートⅠ」の「自立」ゆー概念についいは、松原―築山両君は完全に誤解して把えてゐる。吉本氏の云う〈自立〉とは完全に違った意味でのカッコ付き「自立」であって、吉本氏の〈自立〉と読み違えてゐる。吉本氏の云う〈自立〉とゆーすばらしい思想も、オノレらの時代では、すでに白けて受けとめられてゐるんだとゆー意味合。つまり、そーゆー意味での『先験的な「自立」』なのだ。つまり〈自立〉なんつー思想には把われる必要はないのであって、—何故なら、すでにオノレらが存在すること自体、あるいは自らの意志を貫徹してゆくこと自体、すでに先験化されてゐるのであって、いわばアタリメエなのであって—強いて吉本的意味合いでの〈自立〉—一人で自らの地盤に拘わりつつ、生様を晒してゆく—に拘わる必要はないし、それに把われる必要もないとゆー意味合いだ。逆に云えば、〈偽制〉が強固であればあるほど生き生きとし得た吉本的な〈自立〉とゆー概念も、今日的にはずいぶん変容をこうむってゐるのであって、—〈偽制〉の変容によって。つまり、〈偽制〉前衛を相対化する〈め〉はもー先験的であることによって、—その変容に規定された意味もこめて「自立」の先験化が指摘しうる。勿論〈偽制〉は様々に変容して、潜行するものである以上、〈偽制〉の変容事態が、オノレらにもたらすものは、吉本的ジョーキョーよりも更に困難なジョーキョーであって、それ以外ではない。（勿論、偽制の変容の象徴として、〈国家〉の変容があるわけだ。）

日記　一九七四・六・二六

このたどたどしい文脈のなかにわたしたちは、苦々しくじぶんの思想の〈現在〉をみせつけられている。それは『先験的な「自立」』という言語矛盾によって宣告され尽している。ただこの一言によってのみ、ネガでもポジでもありえぬその過程を生ききらねばならないかのように。
わたしたちはいま、この杜撰な書きつけにいくつかの論理の射光をあてて、その本質を浮かびあがらせなければと考えてみる。いったい〈偽制〉の変容とはなにか、わたしたちはなぜ、この平盤で一元的な世界をどうすることもできないでただ滑り落ちていくのか、そしてそれはなぜ〈先験的〉であるかのようにやってくるのか。だが、そこにいつも色濃くつきまとうおもいは、わたしたちの論理が皮相的な現象論へと上げ底化されていくのだという焦りだ。しかもそのいらだちはもっと深くわたしたちの現在の〈ことば〉の不可能性に根ざしているようにおもわれるのだ。

わたしはここで〈全共闘運動〉それじたいの時代的意味やその解体が提出してしまった課題について総括者ぶった手つきでものを言おうとしていない。まわりくどいようにおもわれるが、ほんとうはひとつの体験の折出とその対自化によって〈ことば〉の不可能性のそのぎりぎりのところへ近づいてみたいとかんがえているのだ。しかも、体験の折出というときのその体験とは一九五七年生まれの、つまりはそれに〝遅れてきた〟〈わたし〉の〈関係幻想〉であってそれ以外でない。

端的にいってしまえば、わたしは徹底的にこの『先験的な「自立」』にこだわりたいのだ。なぜなら、〈先験的自立〉はア・ポステリオリだからだ。経験的で時代的なこのじぶんの不可能性が〈先験的〉にみえるというとき、そこにはぜったいに〈ことば〉の奈落がひらいている。どうしてもその奈落をみきわめておきたいのだ、〈ことば〉を掌にするために。そしてこのじぶんと世界との在り様をつきつめるために。

そこへ踏み込むためにわたしたちはまずじぶんの〈関係幻想〉を問うところからはじめる。なぜなら〈関係〉のなかでのみわたしたちの自己意識は疎外＝外化されたものとして成立するからだ。〈関係〉から疎外された〈自己〉とは、殆どこの〈関係幻想〉の濃密度と質との水準に規定されているのではないか。いいかえれば、自己意識が〈関係〉から結晶化していくとき、〈ことば〉はもっとも屹立するのではないか。ほんとうはそれをこそ〈先験的自立〉と呼びたいのだ。この言葉にわたしたちが〈現在〉のじぶんの位相をしめされているとかんがえるなら、〈関係幻想〉からはじめることは、情況的であってなお本質的なのだ。〈全共闘運動〉がいまわたしたちの問題であるとすれば、それはこの〈関係幻想〉という文脈からである。いや、わたしにとって〈全共闘運動〉が決定的であるのは、一にかかってこの本質によっているのだ。本質から〈現在〉へ下りたいのだ。

69年の羽田を地方の高校で歓呼のうちに向かえ、69年1／18・19の安田決戦を毛穴をふさがれるやうな気持ちでみてゐたオノレなどは、むしろ67〜69年の当事者たちよりもその敗北感は深かったと云えるのではないか。敗北の過程をどうしやうもない自然過程として、先験的に生きざるを得なかったとゆーことにおいて。もうじき十年の才月が流れることになる。〈おれ〉は地方の狭苦しさのなかで生活の生産を始めやうとしてゐる。ひどくぶざまでみじめな気持ちだ。〈再び〉といった方がいいかもしれない。

日記　一九七五・三・二五

わたしたちは自己史のなかから〈全共闘運動〉とその解体の軌跡を消すことができない。それは熱いにかわのように流れる思春期の憎悪の暗河であり、いつかはそこにかえっていくだろう母性のような荒涼だった。もともと情況的な高揚や自己主張の充実感と関わりのない、殆ど〈死の本能〉と呼ぶべきもののようにさえおもわれた。だが、それはもう忘れてしまった。なにがのこっているのか。〈関係〉の成立しえない世界とそれゆえになお濃密になっていく〈関係幻想〉との不毛な弁証法がのこっているのだ。

〈全共闘運動〉の高揚期にわたしたちがみていたのは〈関係〉の成立可能性だった。そのことだけが、つまりわたしたちが〈全共闘運動〉に現実的な関係をもたなかったがゆえに、〈関係〉を幻視しえたということだけが先験的なのだ。わたしたちは〈関係〉に飢えた。しかし、それを「自然過程」とはいうまい。それを意志といいきり、その意志を持続することを〈論理〉と呼びたいのだ。その意志はいったいどこからくるのか。その普遍的な根拠はなにか。皮肉にも、それはあの〈全共闘運動〉のスローガン＝〈自己否定〉に仮託されていたのだ。

わたしたちはいま、〈全共闘運動〉の残した夥しい表象をまったく信じることができない。だから、そのときどのように切実に表白されたものであれ、彼らの口から吐かれる〈自己否定〉なることばをまともに了解することを拒絶する。けれども、わたしたちが〈自己否定〉というとき、それは下腹部ではあの〈死の本能〉を意味し、脳天では〈自同律の不快〉を指している。そしてこのことばに現実的な可能性を与えるのが〈関係〉なのだとかんがえられている。わたしたちは世界を嫌悪する度合だけ、自己を嫌悪しているのだ。〈全共闘運動〉はわたしたちに〈自己否定〉の幻夢と〈関係〉の可能性を垣間見させて、解体していった。その解体の過程のなかで、わたしたちは〈関係幻想〉を胚胎していったのだ。もうどんな意味でも〈自己否定〉などという観念を信じ続けようとはおもわない。だが、〈関係幻想〉を掌離することはできない。わたしたちの自己意識は、〈関係〉として存立しているからだ。


したがって価値関係を通して商品Bの自然形態は商品Aの価値形態となる。あるいは商品Bの肉体は、商品Aの価値かがみとなる。商品Aが商品Bを価値体として、すなわち人間労働の体化物としてこれに関係することにより、商品Aは使用価値Bをそれ自身の価値表現の材料とするのである。商品Aの価値はこのように商品Bの使用価値に表現されて相対的価値の形態を得るのである。

マルクス『資本論』第一巻第一章第三節「二、相対的価値形態」より（向坂逸郎訳）

商品の自然形態が価値形態となる。しかしながら注意すべきことは、このとりちがえは商品B（上衣等々）にとっては、ただ他の適宜な商品A（亜麻布等々）が自分にたいしてとる価値関係の内部においてのみ起こるということなのである。いかなる商品も自分自身にたいして等価として関係することはなく、したがってまた自分自身の自然の皮膚を自分自身の価値の表現となすことは出来ないのであるから、このような商品は他の商品を等価としてこれに関係しなければならぬ。いいかえれば、他の商品の自然の皮膚を自分自身の価値形態にしなければならぬ。

同　「三、等価形態」より

ここでわたしたちがかんがえようとしているのは、〈関係〉における抽象性と具体性のもんだいである。マルクスの想像力が根源的なのは、彼が〈関係〉としてのみはじめて人間の本質が表現されるということを看破したからばかりではない。このことに加えて、わたしたちがあらためて〈関係の絶対性〉と呼ぼうとしている存在事態の認識を与えたことにあるのだ。

マルクスが〈亜麻布二〇エレ＝上衣一着〉という価値関係において、亜麻布を〈相対的価値形態〉とかんがえ、上衣をその〈等価形態〉とみるとき、この〈関係〉は絶対化されている。曰く、「相対的価値形態と等価形態とは相関的に依存しあい、交互に条件づけあっていて離すことのできない契機であるが、同時に相互に排除しあう、または相互に対立する極位である」と。ここで断言されていることはわたしたちを震撼させずにいない。亜麻布と上衣はその位置関係を自由に交替しうるというのに、この〈関係〉のなかで表現される本質、つまり〈相対的価値形態〉と〈等価形態〉はぜったいに入れ換え不能なのだ。わたしたちは、ここになにを幻視しようともがいているのか。もちろん〈関係幻想〉における〈自己〉と〈他者〉のもんだいをみようとしているのだ。

　所謂「価値形態論」においてマルクスは〈単純な価値形態〉から〈拡大された価値形態〉を通って〈一般的な価値形態〉へ至る理路を、恰も〈具体性〉と抽象的に把握される〈本質性〉の弁証法的な過程として辿ってみせる。ここでマルクスがもっとも執拗(しゅうね)くこだわっているのは〈等価形態〉の位置にある商品が、その自然形態によって対極の〈相対的価値形態〉にある商品の〈価値〉を表現しているのだということだ。ここで〈使用価値〉という概念はたしかに生身の皮膚をもった上衣に支えられている。そしてその上衣のむこうには裁断やら運針やらの具体的相貌をもった人間の労働がみえている。だからこそ、それは亜麻布のかがみとしてこちらがわの〈価値〉を映しだしている。そしてこの対極の〈関係〉総体として人間的本質が構想されるのだ。

　だが、わたしたちが獲得しようとしている〈関係の絶対性〉という視角は、この構想が如何にぎりぎりの対立によって成立しているかを明らかにする筈だ。もし、人間の〈類的な本質〉という共同性がこの〈関係〉として成立するとすれば、その本質は常に特殊的で具体的で個別的に存在する〈自然形態〉としての〈他者〉に物象化されつづけるのだ。わたしたちの〈関係幻想〉はその矛盾を呑み込んだときに成立してくる。だれもこの逆説から逃れられない。なぜならわたしたちは、この〈関係〉をとおらずにはじぶんの身体にじぶんの本質を見出すことができないからだ。〈自己〉はつねに〈相対的価値形態〉であり、〈等価形態〉は必ず〈他者〉であるというところに〈関係の絶対性〉は根拠をもっている。

「価値形態」の最高の発展段階である〈貨幣形態〉において、この〈具体性〉と抽象的〈本質性〉との対立は変容して現われるようにおもわれる。〈貨幣〉は全ての商品と交換されうるということによって最も高度に〈価値〉を体現しているというのに、〈貨幣〉の対極に現われる〈使用価値〉としての商品は、だがおそらく全ての〈具体性〉を形骸化させ、皮相的な〈自然形態〉をまとっているのだ。なぜならそれらは〈使用〉のためにではなく〈交換〉のために、つまり一向にG―W―G′というあの過程を辿るべく生みだされるのだから。〈価値〉は〈交換価値〉と〈使用価値〉とにひき裂かれ、これらは現象的に上げ底化されて対位する。もちろん〈使用価値〉がなければ〈交換価値〉もないのだが、〈使用価値〉という〈自然形態〉のかがみは最早〈具体性〉として〈本質〉を映し出しはしない。そして対極を喪った〈貨幣〉は猶ほ尖鋭的に抽象的〈価値〉へと上昇していく。ここで〈関係〉はその本質を物化し凝結させるのだ、ただひとつの金なる対象性へと。その抽象的で幻想的な唯一の〈具体性〉を、マルクスは〈物神性〉といいきったのだ。

わたしたちはここに自己意識の〈現在〉をみようとしている。もちろん比喩としてではなく論理としてだ。〈貨幣〉とそのまえに並ぶ商品群との対位の在り様は、わたしたちにおける〈自己〉と〈他者〉の〈関係〉を表現しているようにみえる。

わたしたちはじぶんのラディクスが〈関係〉として現出するはずだという幻夢を追いつづけていた。対極としてじぶんのラディクスを体現する〈他者〉の〈身体性〉を、そして〈他者〉を対自化することで〈自己〉を対自化してしまうこの〈関係〉の惹起を。〈関係〉は〈自己〉のラディクスを〈他者〉の身体性として行為として物象化する。そこには熱く渦巻く〈自己〉の飢えが、殺伐とした〈他者〉の異貌としてあらわれるはずだ。その極限的な対立の現場でこそ、不可能性としてじぶんのぎりぎりのラディクスを対自化するのだとおもいきっていた。いや、それが虞しく昏い共同性の解体と変質の過程としてしかなかろうとも、ぜったいにそこまでいくのだとかんがえていたのだ。そしてその意志を呼びならわすのに〈自己否定〉という胡散臭い名辞より知らなかったのだ。

わたしたちは〈関係の絶対性〉をひきうけることがなかった。それは〈全共闘運動〉が解体したあとにやってきたからであるのか、〈全共闘運動〉じたいがはじめからその契機を欠いていたからなのか、それともわたしたちのあの試行があまりに貧相だったからなのか。そのすべてであるのか。ただわたしたちの自己意識は凝結し結晶化していく。この濃密な〈関係幻想〉から疎外され、そして〈関係幻想〉を疎外しつつ。その過程をのがれることができない。ほんとうは〈関係〉の成立へむけられた幻想が、こちらがわの自己意識をさわさわと澄みわたらせていく。わたしたちは〈関係〉としてではなく〈自己〉としてじぶんの根源へむかう。そしてこの向自的な過程はやがて終局をむかえるのだ。〈自己〉と〈他者〉ではなく、自己意識とじぶんの〈関係幻想〉の極限的な拮抗という奈落を。〈ことば〉はそのときもっとも屹立する。この不毛でうつくしい〈関係幻想〉の弁証法を、わたしたちは〈先験的自立〉とよんでいたのではなかったか。

わたしたちはこの過程を辿りきる。それがわたしたちの意志である。そして〈価値〉の極北へと昇りつめていく自己意識の過程が〈関係幻想〉からの疎外として成立するというその根拠を持ちつづけるために、〈関係幻想〉をけっして掌離しはしない。それがわたしたちの〈倫理〉である。
だが、わたしたちのほんとうのもんだいはそこからはじまるのだ。〈先験的自立〉からわたしたちの表現ははじまるのであってそこでおわるのではない。それは〈ことば〉の屹立した次元からふたたび〈関係〉へむかうことなのだ。もっともよく屹立する〈ことば〉こそが、この対立をこえる。そこにいきたいのだ。ほんとうは〈世界〉と対極したいのだ。〈還相〉でなく、〈自立〉を掌にしたいのだ。

三　詩の〈根拠〉―〈死者〉とはなにか

〈死者〉とはなにか。なぜ〈死者〉であるのか。かれの〈身体〉が視えないからだ。そこにみえるのは、尖鋭化していくかのように閉ぢられていく〈行為〉と即物的な肉体だけだからだ。それは絶望的なほどに冷たい輪郭をもって、わたしたちを拒絶する。だが、その輪郭を確定してしまうのは、わたしたちの内部の眼なのだ。わたしたちは〈死者〉を疎外し、〈死者〉はわたしたちの眼を結晶化する。もんだいは〈死者〉とわたしたちの視角が相互に対極としてあるというところにはじまるのだ。

㊥（中核派―引用者註）をⓏ（革マル派―引用者註）が襲撃、一人死亡。よう消耗もせずに殺

り合うこと。その〈持続〉は逆説的に評価できる。つまりは不毛な〈持続〉として。要するに、〈おれ〉もこの不毛さにおいては、彼らとちっとも変わらんとゆーことだ。その〈持続〉でさえも。

新聞によれば、〈佐竹〉は大変なめにあってゐるらしい。勿論Ⓩの圧力にだ。それに川口君問題では反Ⓩにやられるし、完全な板ばさみだ。

そー云えば、Ⓩの「フランケン高島」は飛び降り自殺したそーな。㊥通信。

㊥がまたⓏを殺害。どーも、中幹あたりをねらってやっているみたいだ。内向へ、内攻へ！と進んでゆく情況のなかで。外面的に露出してくるものこそホンモノであるとゆーことか？いずれにしても内ゲバが何故起るのかーとゆーことは肉体的によく了解できるやうに思う。ただ、それが露出しないか、露出するのかの問題でしかない。

一九七四〜五年の日記より抜粋

これらの書きつけの根底にふかく流れる自覚を断念と呼ばない。不毛さのなかで、だが確かに裏うちされ定着されていく意識のありようを通して、そこにちかしく孕まれている屹立の意味を問いただしたいのだ。その意味が〈死者〉への視角としてあらわれているはずだ。もし、その視角を詩の〈方法〉として撰びとることがわたしたちの不可避性として強いられてあるなら、それは現在のわたしたちの〈関係〉の本質をうかびあがらせずにいない。わたしたちは〈死者〉をとおって〈先験的自立〉へやってきたのだ。

なぜ〈死者〉なのか。

かれらが〈情況〉のなかで生き急ぎ、野垂れるように自死していったからではない。政治的・幻想的な顛頽をよく体現し、そして逝ったからでもない。いいかえれば、あの時代性の亡霊たちに憑依されるところに、もはやわたしたちはいない。にもかかわらず、〈死者〉が方法的に問われなければならないことははっきりしている。かれらがその存在の基底においてわたしたちを拒絶しているからだ。かれらが絶対的な〈他者〉として、あまりにも「自立」しているからだ。

> 「きみ」も「わたし」もひび割れた挙句の何かであり、その何かを不可避な持続において強いられているのみだ。まったくのところ、行為をえらんだものは行為に没入すればいいし、言葉をえらんだものは言葉に没入するほかないのである。こういう没入の仕方が行為や言葉を途絶させず、ただただなりふりかまわずにそれぞれを持続させていくという点にこそ、現在の辛うじて肯定すべき意味を見出せるのである。
>
> （中略）
>
> すべては要するに、行為は行為にかえり、言葉は言葉にかえるほかはなく、しかもそれが唯一

だというビジョンが現在の根底であり、このビジョンに支えられていないどんな言葉も行為も、現象性のアブクとして消えさるほかはないのである。

月村敏行　「〈反情況〉としての現在」（『批評の原理』）より

かつて月村がこういったように、「きみ」もいなければ「わたし」もいない。そして〈行為〉と〈言葉〉は引き裂かれている。だが、こういう表現が、〈情況〉とよばれる〈関係〉の時空性のありようを射ていたのはなぜなのか。〈行為〉をえらんだものには〈行為〉として、〈言葉〉をえらんだものには〈言葉〉として〈身体〉が論理化されていたからだ。それらは互いに深く決裂することによって、互いのなかにじぶんのラディクスを不可避性として対自化していたからだ。

〈全共闘運動〉とその解体の時代にわたしたちが幻視してきたラディカリズムは、「いつもみずからの自立性においてみずからの思想を死滅まで追いつめる外ない」（吉本隆明）ものとして、その過程を辿っていった。

バリスト・街頭闘争・内ゲバ・ハイジャック・銃撃戦・爆弾闘争、あるいは殺傷・自裁・廃疾・発狂・無言の自死・・・それらの〈行為〉とその結実は、わたしたちの感性からほんの僅かしか隔ってはいなかった。ただ、わたしたちが少しだけ遅れてきたのだ。けれどもわたしたちが〝遅れてきた〟というとき、それはわたしたちがあの〈情況〉を妬んで失楽を吐露しているということも、現在の停滞に泣き言をいっていることも意味しない。わたしたちはその先に佇っているのであり、その先の思想的課題をひきうけることしかできないのだということだ。そして勿論それは優位性としてしかありえない。あとからやってきたということは、これらのラディカリズムがどんな軌跡をえがいて狭隘な党派性と近親憎悪と倒錯とに変質していったか、それを見定めねばならなかったということだ。

わたしたちは、これら〈行為〉のラディカリズムと決定的に断絶するところへやってきた。だが、それでは〈行為〉と引き裂かれた〈言葉〉へ「没入」することが、わたしたちにとって可能であったのか。その「没入」は、わたしたちの存在の根源までとどくというのか。月村が『荷担のまったく成り立たない時代』での『荷担』であり、また世界の首根をしめあげていく唯一の手だて」だなどと、いささか「情況論」のような口ぶりで称揚する〈内部の論理〉やら〈言葉の世界〉やらの持続のなかに、ほんとうにわたしたちの〈現在〉の不可避性はあるのかどうかわからない。ただ唯一〈行為〉からの断絶という意味において、そして「没入」不可能という位相において、その志向性が看てとれるだけだ。

〈全共闘運動〉の解体と変質の過程で、わたしたちは、〈行為〉どころか〈他者〉の身体性からも断絶していった。かれの〈行為〉、きみの〈言葉〉は、わたしの〈ことば〉の対極にあるなにものかたるためには、その身体性の表現であり具体性でなければならないのに、わたしのまえにみえるのは一向な〈死者〉たちの群れだ。

〈死者〉とわたしたちがいうとき、それは自立性として〈行為〉や〈言葉〉への投企の果てに斃れたひとびとの謂ではない。〈行為〉と〈言葉〉との決裂が根源的な意味を喪い、ただ只管に〈自己〉と〈他者〉がその根底から断絶していること。それゆえに、わたしたちが〈他者〉の身体をとおして〈自己〉のラディクスを対自化する契機からまったく放たれてあるということ。それが、

〈死者〉という視角の意味なのだ。
〈他者〉がいないのだ、じぶんの想像力のなかに。いったいどうしたというのだ。〈他者〉の相貌にこだわりつづけてきたわたしたちの飢渇と執着と呪詛とはどこへいったのだ。このことについてぜったいに決着をつけたいとかんがえる。けれどわたしたちの〈現在〉は、この〈関係〉の不可能性を、詩＝〈ことば〉の根拠とするところにしかありはしないのだ。それがどのように表現の不可避性を担いきれるのかさだかでないとしても。

いずれにしても、関係性そのものを圧迫として感じてゐた一人である〈〈おれ〉はそのやうに断言しうるが）ヨっちゃんの死つーのは、〈おれ〉には、やはりどーしても計り知れないものを感じさせられた。もう徹底的に時代性においてしか視えてこないやうに思う。息切れて横たわってゐたとゆー以外、死についての情報はなく、全く原因不明のままなのだが、〈おれ〉には、もう本当にこの時代と深い処で直通したやうな死であるやうに思えた。時代の胎む、うすぐらいどうしようも《な》い不幸を味あわなければならなかった人間として。

この事件は、安定化した処に平安さを求めやうとしつつあった（?・）自分の無意識の退廃を撃ったと云える。やはり、〈おれ〉は、常に裏側を視つめてゆく人間、として自己を規定しなければならないとゆーことだ。平和と民主主義にのっかり、身も心も浸りきるとゆー退廃を撃て！とゆーことなのだ。ヨっちゃんの死は、決して無駄にすまい！と思う根拠は、その裏側を別に文学などにかかわることのなかった彼氏が、その〈孤絶〉の相の深まりとして、実践的に身に背負ってゐたとゆーことのうちにこそある。その死の重さを決して忘れるな。こうかた通り云ってみても、すでに虚しいのかもしれない。

一九七五年四月の日記より抜粋

ここにはじめて、わたしたちの〈現在〉の本質へいたる〈死者〉の姿がみえてくる。〈言葉〉からも〈行為〉からもとおいところで、ただ「時代性」とよばれるわたしたちの〈現在〉の日々から疎外されていく彼岸の〈他者〉のイメエジがある。〈情況〉のなかのどんな事件性の衝撃も圧迫も、本質的に無意味なのだという基調音をきかなければならない。ただ〈孤絶〉の意味こそがもんだいなのだ。それを〈ことば〉の方法としてひきうけたものの視角が俎上にあげられなくてはならない。〈現在〉へいたるアクセスはどのように方法化されるのか、このじぶんのもんだいとして。わたしたちはさらに深く屹立した場所へ、この日々の不毛に抗いつつ〈死者〉たちのイメエジを繰り込む場所へ、じぶんをおくる。そこが〈先験的自立〉の地平であるかのように。

I

岸上の性急な死が、一般に自ら死ぬことを選んだ死者の側の論理が、生者に対して最も鋭舌たるゆえんは、関係性—空間性としてやってくる生活行為の持続性を撃つことのうちにあるだろう。生活を持続の相としてみるかぎり、「明日」という日をどういう意味にしろ、ぼくたち生者は自らの生様のうちに繰り込まねばならない。苦もあり、楽もある相対性を、今日も明日も明後日も・・・もくりかえしてゆかねばならない。たとえ、「さわやかな朝のめざめ」や、「信じ」る「明日」というものから、遠く拒まれているにしても、ぼくたちは、やはり、「明日」という途轍もないもの、かつ過酷なものを背負わざるをえない、ということなのだ。死者の性急、過激な論理は、ここで、生者の側の過酷な生活の持続の論理と、永続的に拮抗関係に入るのである。

II

人はいかに「死」に攻撃されようとも生きてゆける。生者の側に身を置き、「死」を視つづけるといらぎりぎりの断崖的な方法をとりうるのである。「死」を、ということはあらゆる空間性を、相対化する視線でだ。

III

いかなる意味においても、現実の世界において、肯定しうるものはない。対峙拮抗するものとしての世界の時―空がだだっぴろく拡がっているだけである。この異世界に自らを立たしめることが、ぼくたちの体験から導き出した唯一可能な方法だと言える。生者とも死者とも慣れ合うことはできないということなのだ。両者との緊張関係を生きつづけることが、ぼくたちの志向性なのだ。生から死を視るというよりは、むしろ、死から生を視通すという方法である。ぼくたちが岸上の死を思想的に繰り込むとすれば、あるいは、もっと一般的に時代性との激しい拮抗―対峙関係のなかで身を滅ぼしていった無名の死者たちの無言の強圧を、自らのうちに思想としてくりこもうとするかぎり、死から生を視るという方法しかありえない。

連載ノートⅥ「岸上大作論」より（Ⅰ・Ⅱ・Ⅲの番号は引用者）

わたしたちはこの動揺の振幅になにを視ようとしているのか。矛盾するようにみえる論理の交叉域に、その深部からせりあがってくる〈関係幻想〉をみようとしているのだ。

Ⅰでは、「途轍もない」苛酷としての生活の持続の論理と〈行為〉や〈言葉〉に投企していった身体性としての〈死者〉の論理が、永続的な対峙・拮抗の関係にあるという認識が提示されている。Ⅱでは、〈死の形而上学〉とべつのところで呼ばれている断念を喰い破るように、〈生〉のがわから〈死〉を視るという方法がのべられている。ここで「死」＝「あらゆる空間性」を相対化する視線が意志されていることは、わたしたちを畏怖させる。まるごとの〈孤絶〉として現われる〈死者〉たちの群れを、いいかえれば、この現実総体を、徹底的して相対化してしまう〈自己意識〉の結晶作用が、そのことばの核心に潜在しているかもしれないからだ。

だが、Ⅲのところでは逆に、〈時代性との激しい拮抗―対峙関係のなかで身を滅ぼしていった無名の死者たち〉、つまりわたしたちの言うところの、身体性としての〈死者〉の幻影の方から〈生〉を視るという方法が志向されている。ここでわたしたちは「現実の世界において、肯定しうるものはない」という表現に瞠目する。何故世界はだだっぴろく拡がっているだけなのか。そこに〈自己〉の対極として〈他者〉の身体が存在していないということだ。〈世界〉がのべたらな〈死者〉たちで満たされているという感受性が看て取れる。だが、たとえ身体性としての〈死者〉を自らの根拠として想定しようとも、それは幻影にすぎない。〈世界〉が対極として成り立たないとき、〈自己〉もまた対極となりえない。そこにみえるのは、喪われた身体性へ、〈他者〉の異貌へ、ぎりぎりの〈関係〉を幻想する〈死者〉という視角なのだ。
あらゆる空間性を相対化する、そしてあらゆる即物的な〈他者〉を相対化する〈自己意識〉の絶対性と、〈死〉から、つまり未明の身体から、こののべたらな日常性のなかの〈他者〉へ根源的な対質者をもとめていかねばならない〈関係幻想〉とが、極限的な緊張をもって対極しているところ。そこに詩の〈根拠〉をみてはならないか。それを、〈先験的自立〉と呼んではならないか。もちろん、そこをこえていくために。

わたしたちの眼前の世界に、〈自己〉の対極となる身体性は〈他者〉として存在しない。だが、〈自己〉がこの〈世界〉と、〈全幻想領域〉と対極するために、わたしたちは、そこにまったく異貌としてたち現われる身体を必要とする。いや逆なのかもしれない。ひとりの身体性と対極したとき、わたしたちはこの〈世界〉と対極しているのだ。〈他者〉が即物的な肉体と観念とに変質していく過程は、同時に〈行為〉や〈言葉〉の世界を荷担した〈死者〉への視角が解体していく過程でもあった。わたしたちはもうすでに〈死者〉という視角を喪いかけている。だから、〈他者〉とは、〈死者〉であることができない。そしてまた〈他者〉はまず、〈反他者〉としてたち現われてくるほかない。〈生者〉であり、なお〈自己〉と先験的な関係をもってそこに存在しているもの。それがわたしたちの対極である。わたしたちは、〈対幻想〉をとおらずには〈他者〉へも、〈世界〉総体へもいくことができない場所へおいつめられているのだ。時代的に、そして普遍的に。

もー思い切らねばいけないのかもしれない。どーせRといっしょになれないのだし。彼女は今日はよく泣いて、色々しゃべったが、〈世間〉の方へ身を寄せてゆこうとする姿は、もー見てゐるだけで痛々しくなってしまう。「このよーにして、人間は変えられて行くのだ」とゆー、もーどーしようもない、それこそ生存する最底辺の処で感ずる痛みだ。そして、もし、Rが強いて自ら変わろうとしてゐる原因を求めるとすれば、少なくともその半分は〈おれ〉に原因があると云える。思えば、実に一生懸命〈おれ〉を愛してくれたじゃないか。そのけなげさに対して〈おれ〉のしたことは、残酷な仕打ちとむき出しのエゴイズムをひれきしたことだ。よく泣く女だったが、実に素直でいい女だった。もう止めよう。半年で終焉。

一九七四年八月の日記より抜粋

無理矢理、〈選挙〉をやらされた。今日の〈屈辱〉は、いわゆる父母、〈家庭〉―生活者大衆とから被った〈屈辱〉だ。これは絶対に一生涯忘れるな!

いずれにしろ、能ふかぎり、〈生活〉的な自立をしてゆく以外ない。〈家族〉との関係はいずれ立ち切る以外ない。もう～、このうるせい蝿みてえなやつらの間でテメエを痛めつける必要はない。ちくしょうこの〈屈辱〉は、死んでも忘れねぇからな。お前らの〈論理〉―存在自体をもう殺害する以外にないのだ。この野郎。

一九七五年二月の日記より抜粋

わたしたちはここに思想の敗北と詩の閉塞をみるだろうか。いや、〈先験的自立〉の白々とした荒涼をみるだけだ。すべてはここからはじまらねばならないはずなのだ。

〈女〉とはなにか。〈父母〉とはなにか。かれらは〈性〉や〈血縁〉という絶対的な関係をわたしたちに強いるなにものかだ。しかもそこには〈性的関係〉や〈生活〉の論理を具体性として表現する身体が生々しく聳立している。わたしたちがかれらから決して断絶できないという意味で、かれらは〈他者〉でない。だが、かれらの身体性がわたしたちの〈自己〉を圧倒的に疎外するという意味で、かれらは最後の、そして最初の〈他者〉である。

かれらの身体とわたしたちの身体は、この〈関係〉のなかで根源的に対立する極位として現われる。そこではわたしたちの〈ことば〉の論理が、かれらの〈性〉や〈生活〉の論理のまえで徹底的に相対化される。つまり、わたしたちは〈自己〉の身体性を、ここではじめて本質的な不可能性として対自化させられるのだ。わたしたちはこの〈関係の絶対性〉をどこまでも荷担する。わたしたちはかれらの身体性をじぶんの身体性のなかに繰り込むことで、その〈性〉や〈生活〉の論理とどこまでも拮抗していく。それがわたしたちの〈自立〉への絶望的な意志であり、そしてまた、不可避性の持続であることによって。

さて、ではあらためて、〈死者〉とはなにか。

この〈関係の絶対性〉をとおることでどこまでも疎外されていく〈自己意識〉、それが〈死者〉という視角の意味だ。この緊張に堪えられるのかどうかわからない。だが、わたしたちの〈自己意識〉はラディクスへと結晶化していく。ただひたすらに、〈世界〉と対極する〈詩〉をもとめて、わたしたちは〈先験的自立〉の暗渠をたどるだけだ。

四 〈輪郭〉論 ―〈姉〉とはなにか

I

わたしたちはひとりの女を腰のあたりで引き摺りながらこの日々を歩いている。かつて憎悪のようにもとめたエロスへの欲情も、破滅を夢見て喉を鳴らした衝迫も、いまはとおい。ただどこまでも冷えていく女の肌とささくれた地表の擦れ合う音をきくのだ、この〈現在〉のように。

連なっていく一筋のイメエジがある。その先に死があるのではなく、生の過程が死のイメエジであり、死へ連ながるゆえに永続する日々の未明であるような女の姿だ。

詩の解体を、なぜ〈姉〉と呼ぶのか。表現の論理性が、なぜ〈姉〉というイメエジにとりむすばれていかねばならないか。

姉さん！
あなたのこぼれるような青い吐息
につつまれた夜の薄膜
をぼくは忘れない　のぼる陽とともに
あなたに抱擁(だか)れたぼくの肉体(からだ)
は背一杯しなって膨らんでいる
あなたの神秘な汁を口唇から吸いあげながら
うちふるえているぼくの襞　そして

ほろ苦いいまの不確かさを　姉さん！
あなたはうす絹のからだを静かに動かしながら
ぼくの口唇に注ぎかえしてくる・・・
タバコ灰のように破砕されたぼくたち
にたしかないまやあしたがあれば
ぼくの体内には
あなたのみずみずしく透明な朝の体液
のみが重くたゆったっているはずなのに！

（中略）

煮えたぎった針のとぶぼくの墓地の立棺の端へ
姉さん！　あなたの熟れたほほえみをゆっくり
たらしこんでください　あなた
の後姿が重苦しく
ぼくにしだれかかってくるとき
ふたたび甦えるぼくの歩道は
姉さん！　あなたの紅い口唇の
奥へ！　奥へ！
と開かれてゆきます
蒼い涙を閉じこめるプールさえ

すでに水を喪い
ゆれ動いている胎児への逆様な欲望のみが
姉さん！
ぼくをあなたへしきりにかりたてている
芽ばえの朝に　そして
死を含む氷の朝！に——

「黄昏淵」より（各部分）

悶える詩神が求心的に言葉を欲している。充血し膨潤する詩的言語の相と、過剰に錯綜していく詩意識の糸とをひとつのイメエジへと紡ぎ、詩の原質を定着させようとする。そこに〈姉〉という像があらわれたのだ。

あるいは若い立中にとって〈姉〉の不可避性はそれほど意識されていなかったかもしれない。ただここより以前の詩（『非連続現実〈夢〉』等）に、未分化なすがたでうねっていた〈生〉への飢渇をひとつのエロスに結晶させ、過激な疲労の先に〈死〉の色調を孕ませることだけが切実だったようにみえる。

ここでは〈姉〉も〈死〉も、まだ修辞の尾をつけて泳いでいる。わたしたちにとってと同様に、立中にとっても鮎川信夫の『イシュメエル』の印象を拭うことはたやすくないようにおもわれる。だが、〈姉〉は、わたしたちの知る立中の詩篇のなかでただ一篇だけにあらわれる言葉でありながら、彼の詩の全過程の〈方法〉となった。

明るい陽の下で
ひび割れた〈愛〉が　その
死面を石鹸のようにつるつるにして横たわり
疲労のよどみ
をさざなみだてるぼくの落したことば
は地上で殺され　タバコ灰に混ぜあわされる
血液
の一滴ほどにくるまれ
腐ってゆく！　あなた
も死ね！
しめった地下構を反吐ふいて移動してゆく
あてどもない空無のほうたい
につつまれたぼくたちの体腔へ
ひとつの時代の全重量が
どおっと流れこみ　あなた
の死体がながれこむぼく
の体腔を無造作に締めあげる

「憂月二月に」より（部分）

詩的ないいまわしは未熟で生硬にみえるし、表出の切実さは単相的な詩行となっていて貧しいものに映るかもしれない。けれども、連なる詩行を渉っていくうちに、個々の言葉の指示性のながれが、詩意識の自己表出性のながれを表現するようにおもわれてくる。旨くいいあてることができないが、ここではひとつの質がもうひとつの質へむかって孕まれるように流れ込み、閉ざされて呻き、そして変容し、ずり落ちるように転位していくというような過程がくりかえされつづけるのだ。

姉さん！　白いヴエール
につつまれて逍遥するあなた
の足指にこもる緑の液体
がいまもぼくの脳髄に
どおっとなだれこんできます
（中略）
美しい姉さん　いまは死んだ
とおいあなたのまぶしい乳房のなかで
輝く血　血をふきあげたぼくは
つららのようにたれさがっている

犬たちの歯をたらたらとつたうあなた

「黄昏淵」より（部分）

の黄色い液汁は
割れた空の不安へ降り注ぎ
濃密な沈黙の凝固をかため
もう死そのもののように苦い後悔
を湿らせ　途方もない血海の柔部
を内側からかためつけてゆくだけだ

「化野」より（部分）

よく看て取れるように、液状・膠状のイメエジによって殆どすべての詩行がくりだされている。〈ぼく〉と呼ばれるひとつの質は、〈あなた〉というもうひとつの質に「抱擁れ」、〈あなた〉を「吸いあげ」、あるいは〈あなた〉に「どおっとなだれこ」まれ、そして〈あなた〉のなかで「つららのようにたれさがっている」。また〈あなた〉は〈ぼく〉を「締めあげる」とともに、「たらたらとつたい」、〈ぼく〉を「内側からかためつけてゆく」。

ふたつの質は互い犯され、もつれあい、媾合と融合を切望するかのように未成の過程を辿る。だが、その過程は同時に、荒れた異和と熟れた疲労の重畳とをもたらすというわけだ。

詩集『彼岸』に収められた詩篇のうち、「黄昏淵」（七二年一一・一二月作）から、「大量死」「憂月二月に」（七三年二月）、「化野」（七三年三月）へ至るこれらの詩行の殆どがこうした構成の連鎖によって書きつがれている。わたしたちが、まずこれらの詩篇を注視するのは、この構成が立中の詩の全過程をその根本のところで規定しており、ここをエポックとして立中のモチーフが凝視され、方法化されはじめるようにおもわれるからだ。

ほんとうは、一気にその過程を〈姉〉と呼ぶところからはじめたいのだ。けれど、抽象的な詩の方法の切実さが常にこの身体の具体性に基づいていること、そして身体が常にわたしたちの世界の〈関係〉から疎外されつづけることを見失わないために、独断を自戒しつつ〈姉〉への過程をたどることにする。つまり、わたしたちにとって〈姉〉とはいったい何者なのか、そう問うところからだ。

II

わたしたちは自己史のなかに、具体的な関係としてかかわりを持ち、あるいは視野に入る特定の女と〃交わりたい〃と悶える日々をどこかにもってきた筈だ。この〃交わりたい〃という欲求は、もちろん性行為への衝動を主な動機としているが、その基底にまた遥かに昏く類的な幻想の領野をももっている。

ところで〃交わりたい〃、〃その女とすべてにおいてふかく関わりたい〃という膠状の欲求は、ありていにいえば、類的に未分化な〈生〉のダイナミズムに回帰したという機制に根ざしていると想定することができるかもしれない。ことわっておきたいのだが、回帰したいと言っても、しかしそれはあくまで不可視の機制であって、どんな比喩的な意味でも生来の願望や身体の欲求としてみることのできるものではないとかんがえる。回帰の欲求とは、本質的には、それを補償する幻想への欲求なのだ。しかもその幻想はつねに自家撞着に見舞われるべく宿命づけられている。なぜなら〃交わりたい〃ということが、第一義的に現実の性行為への欲求であるならば、わたしたちはその位相ですでにまるごと類的な〈生〉から疎外され、ひとまずは性的な存在として屹立してしまうのだから。

性的存在であるがゆえに女を欲する。そのときわたしたちはその女と交わり侵犯しあって、自己を類的な〈生〉へ解体させていきたいという未分化な幻想にとり憑かれているのだが、この幻想は女を欲するという具体的な欲求へ収斂することで逆に裏切られつづける。性的でなければそこへ行けないのに、性的であることによってそこから阻まれ、なおふかく疎外されていくのだ。

そして〝交わりたい〟という位相で、わたしたちの幻想はこの矛盾律によって過激にねじれていく。つまり、媾合と回帰を求める幻想が、性的なじぶんを死滅させたいという幻想に変態する過程がやってくる。それが錯綜する日常の関係意識に侵蝕される度合が弱く、より充血してあらわれるような場合には、わたしたちはその〈死の本能〉ともいうべき欲求を、自他の肉体に対する性的な自虐性＝加虐性の衝動として感得することができるほどだ。

そしてこの幻想の呪縛は、実際に性行為を体験するまで、つまり女の身体に即物的な異和をおもいしらされるところまでつづくとかんがえる。

〈死の本能〉に憑依されるような自己史の過程で、わたしたちの性的な幻想はもうひとつの位相をとるようにおもわれる。わたしたちはそこにいる女と交わりたいとおもいながらも、どこかべつの場面では、女というものをかなり抽象的に措定し、純化するような心的な機制をもっている。これも他人の言草を借用して〈結晶作用〉などといってもよいのだが、ここでわたしたちがかんがえようとしているのは、〝痘痕もえくぼ〟というような特定の誰かを純化し美化するという心理のことではない。性行為の欲求は未分化な衝動でありながらも、つねに、不特定とはいえそこに現実に存在する女を対象としてしか起動しないのに対し、この〈結晶作用〉は、そこにいる女を「理想」化するようでいながら、どこまでも具体性を殺ぎ落としていく観念の背理なのだ。

たとえば思春期の終わりに、ひとりの女へ性的な幻想を抱いてしまう。あのひとはじぶんの求めていた「理想」のひとであり、あのひとと心的に媾合することがじぶんの究極の価値だ。わたしたちは過剰な関係意識を繰るように言の葉を交し、その所作にふるえ、情感をなぞりあうだろう。

しかし、その女との心的な接触が現実味をもったとき、わたしたちの心象は微妙な、けれども抑えることのできないきれつに見舞われている筈だ。裂けていく幻想は、ふたつの心的なベクトルを生みだしていく。

ひとつは、その女の姿に具体的で個別的な身体性を看取ってしまい、そのまえに自身をも限定された具体的な身体として関係させざるを得ない（勿論リタイアすることも含めて）ような契機をもった幻想、つまり〈対なる幻想〉へとじぶんをむかわせるベクトル。

そしてもうひとつは、「理想」の観念がなおそれ自体を純化し、目前の女の姿から超出していくような幻想のベクトルだ。

このふたつの指向性は、「理想」の女の現実性のまえで、わたしたちがじぶんの性的な存在を審らかに対象化されてしまうところからはじまる。女を幽かに異和するとき、自分の身体が関係から疎外されていることを想いしらされるのだ。そして前者のベクトルを支えるモチーフは、この自己疎外のありさまを自己の生活の過程に持続しようとするところ、いいかえれば個としてある〈不安〉を根拠としなければならない場所へ自らを措定する意志であり、また後者は、それゆえにこそ非在の幻想を求めねばならない観念の絶対性に羈束されているとみることができる。

わたしたちがここから問題にするのは、この「理想」の結晶化過程のゆくえについてなのだ。恋愛論の臭みを拭い去るために、初手から言い切ってしまいたい想いに駆られる。つまりわたしたちはここで、〈女〉でありながらその幻想を凝結させ結晶化の度合を更に高度にしていくことで、どこまでも〈女〉から遠去っていくようなイメエジをもとめている。端的にいえば、その〈女〉とは、性的な意味の内実を失い、そして具体的な身体性をあげて剝落させていく観念の〈輪郭〉なのだ。

III

女への幻想は〈姉〉の哀しみへと昇華する。それは極北のエロスにちがいない。だからわたしたちはそこへ〈死の本能〉をなだれ込ませるのだ。〈姉〉と媾合する無音の地平でのみ、わたしたちの性は凍りつき、永久の死滅がやってくるのだという美しく不毛な神話によって。

だが、この解体の弁証法のふたつの極位としてあらわれるべき〈あなた〉と〈ぼく〉は、互いに異質な具体性として対峙しえない。それは立中がついに現実の〈対幻想〉を思想化しなかったからだ。もちろん、相手が何人いてもそういう関係を択る契機をもつ女がいなかったのだと言っても、またそれを「しだいに方向性を失い、未来から閉ざされていく同時代の若者たちの死や性についての無感覚な時代感情」、「時代の強いる感受性の運命」（北川透による解説から）などと言っても、どうということはない。わたしたちは立中の〈姉〉を、もうすでに詩の〈方法〉へと疎外された幻想としてみているのだ。

ここに現われる〈姉〉は、解体の対質を失ったがゆえに、さらに純粋に疎外されていく。かつて非望の哀しみを湛えていた〈姉〉は、やがてその質をうしない、ただ思念の形式とのみ化すところまで純化していかねばならない。そして、〈姉〉がその〈輪郭〉へと結晶化する度合だけ、わたしたちの〈死の本能〉は、身体への性的な幻想から、未分化な〈力動性〉へと退行させられるのだ。〈姉〉は最早〈女〉でなく、また絶対零度のエロスでもない。固有な時間性と固有な空間性の場に、恰かも先験的に想い込まれる詩の〈方法〉。ただ狂おしく身体から結晶化された〈輪郭〉と、身体を溶解した幻想の〈力動性〉との弁証法の謂なのだ。

こわれてゆくいくつもの愛の狭間では
液汁に口をふさがれた失敗の死児達が
青臭い死衣の護符を首にくくりつけられて
幾匹も幾匹も泳ぎ回っている
つるつるの肉塊はただひとつの石塔として
呪禁され密封され
その明証は死で計量された轍となる
ながれてゆくつめたい河のむこう岸で
やわらかな球根を誇る季節は
いつでもその轍をかきけそうとする
けれども　絶たれてしまった咽喉の惑いは
ふたたびせめぎあう血を催さないもう

ふたたびまとえないはずのぼくたちの生の・・・
がふたたびまとったはずの生の仮装とは何?
そのなかをはってゆくあなた
かれた生の泉は街の臓腑を抉ってしまった
棄巣することもない

「哀歌」より(終わりの部分)

すぐに看て取れるのは、ここに脱色されながら語り継がれていく一筋の論理だ。先にのべたふたつの質のからみあいの構成は変っていないのに、『彼岸』の他の詩篇にあってはその構成が各々の詩行のみならず詩連の螺線状の連環として次々に重畳されていたのに比べて、ここでは各々の詩連がひとつの意味へいたる過程のように指向性をもっている。

このことをもっと具体的にいえば、先に引用した「哀歌」以前の詩篇では、〈ぼく〉が〈あなた〉へなだれ込み、〈あなた〉が〈ぼく〉をしめあげ、そこで〈ぼく〉はもだえながらずり落ち、その転位の疲労に〈死〉の感受性を染み込ませる—あえて構成すればこのような過程として連鎖していたのだが、この詩篇では、ひとつの詩句、ひとつの詩行、ひとつの詩連が次々にその意味を否定されながら、〈死〉から〈生〉へ道筋を辿らせていくようにみえるのだ。そしてその〈生〉とは、〈仮装〉のように日々を生くるわたしたちの〈現在〉の荒涼でもあるようにおもわれる。

実質的なぼくの第一詩集である。原稿をまとめてから、ほぼ一年が経過する。実際はこの丁度二倍ほどの量になる予定であったが、金銭的に全く余裕がないので、その半分程にまとめたものが本詩集である。あとの半分もすでにまとめてあり、金銭の都合さえつけばいつでも出せる状態にある。

愛知の片田舎（生地）にひっこむこと、五年間の大学生活にもおさらばすることを契機化するために本詩集を編んだこと以外に、特別にここで言っておかねばならないことは何もない。

詩集『彼岸』「あとがき」（部分）

〈死〉のイメエジから〈生〉の感受へと裏返えされた想像力を、立中はいったいどう表現するのだ。この〈現在〉の日々に憑くこと、否、どこまでも疎外されつづける詩意識が、生活の軌跡をじぶんの〈輪郭〉として孕み尽くすこと、わたしたちのまえにみえる詩行の軌跡がその不可能性を暗示している。

けれども、狂おしくいま一度その問いのまえに戻らねばならない。

なぜ〈姉〉なのか。〈死〉へむかうイメエジでなくて、この日々を生くることの方を択ったわたしたちのまえで、〈姉〉はどのように錯合されていくのか。

さて、〈姉〉とはまず性的な幻想の対象である。だが、それが現実の性行為を伴った関係に引き寄せられないのは、いうまでもなくそこに性的な禁忌があるからだ。この禁忌が先験的なものと看做されているかぎり、わたしたちとわたしたちの〈姉〉との関係には、性的な親和性と性的な禁忌がうまく共存している。つまり、性行為によって相互の身体を対自化し尽すことから免れ、しかも同じ家族として暮らす日々において、その姿をある程度対象化しながら、安定した性的関係を維持していくことができる。もし、実際の姉をもっているとすれば、だが。

けれども、この〈姉〉という性的な幻想が、なお身体から疎外され、純化される過程を辿りはじめると、わたしたちの関係幻想の内部で〈姉〉は究極のエロスのイメエジとなる。そして禁忌の意味はそのエロスをなおいっそう冷たく輝かせ、〈死の本能〉のなだれ込みを尖鋭にしていく。観念が純粋に疎外されていかねばならないというこの過程の絶対性によって、それらは互いに侵犯し合いながら、性的幻想の緊張力を常に過剰に持続していくのだ。

さらに、〈姉〉という存在は「年上」である。世界への未分化な関係意識から放逐され、この身体の原生的な疎外を他者への異和として意識しはじめるころ、わたしたちは殆ど避けようもなく「年上の女」に幻想を抱くはずだ。

そのひとが辞書をひく後ろ姿にこの日々のつづく途方もない行方をおもい、かすかな汗の香に蒼く宿るエロスを感受しては、そのひとが性的な存在として、ひとりの身体として生き死ぬのだという哀しみにちいさくふるえる。そんな自己史の一場面を、わたしたちはまだ生き生きと蘇えさせることができる。

そのとき、わたしたちは〈死〉へ至るこの〈生〉の日々を〈過程〉として視はじめたのだ。性的な親和性と禁忌の「安定」は、わたしたちの関係幻想によってエロスと〈死の本能〉との極限的な緊張の持続という構造へ転位された。そしてその持続の〈過程〉こそが、わたしたちの日々のありようでなければならない。一筋に軌跡を曳く日々の哀しみに自己疎外の〈輪郭〉をどこまでも透徹させることが、その〈姉〉の意味性に他ならない。

そして、そのときもはや〈姉〉とはわたしたちの〈倫理〉である。

Ⅳ

わたしたちは〈他者〉の身体性を対自化することで〈自己〉の本質を幻視する契機から放たれていた。〈関係の絶対性〉を想像力の内部にひきうけることがなかった。それが〈先験的な自立〉ということの意味だ。

だが、わたしたちはそれでもこの日々を生きねばならない。いや、止めてもいいのだ。生をくりのべることに殊更の意味などない。ただ〈先験的自立〉の意志を貫こうとする自己異和いがいには。

まっしろにしぶく波達は
きみのはだかの手の中に
かたい闇を産みつけ
やわらかな実在の闇にその手
を解き放って去った

「痛みの年代史」(冒頭部分)

わたしたちはここに〈姉〉という詩の〈方法〉が〈倫理〉として措定されたメタファをよみとろうとしている。「まっしろにしぶく波達」とは、わたしたちが〈関係の絶対性〉をまさぐってきた日々の幻影である。「きみのはだかの手」とはわたしたちの身体の抽象であり、「かたい闇」と暗喩されるのはわたしたちの〈倫理〉に他ならないのではないか。そして「やわらかな実在の闇」と呼ばれているのは、わたしたちのこの日々の〈現在〉なのだ。

わたしたちの身体から疎外された身体性のイメエジが、ここで〈倫理〉を産みつけられる。身体性のイメエジは、最早〈倫理〉と媾合し、〈倫理〉は幻想の身体性と化す。それはいったいどういうことだ。わたしたちはどこへいこうとしているのだ。

〈倫理〉と呼ばれているのは、端的にいってしまえば、一筋の軌跡を曳きながら、どこまでも自身を貫徹する論理だ。それはもとより「道徳」やら「信条」やら「理念」などという概念とかかわりのないものである。

わたしたちは先に、身体から疎外され、そして観念の自己運動過程の絶対性によって狂おしく純粋化されていく自己意識のイメエジを、思念の形式＝〈輪郭〉と呼んできた。そしてこの〈輪郭〉は、関係幻想の結晶ともいうべき〈姉〉のイメエジに錯合されていたのだった。だが、〈姉〉を観念の純粋な自己疎外ととらえても、それが〈姉〉という言葉であるかぎり、どうしてもわたしたちは〈姉〉に抽象化された身体のイメエジをもってしまうのだ。身体の極北に疎外されたはずの自己意識の〈輪郭〉が、〈姉〉という関係幻想に錯合されて身体のイメエジをもつ?

わたしたちは論理の矛盾を犯しているのだろうか。ただ言葉面だけの形而上学を弄んでいるのだろうか。いや、そうではない。〈倫理〉とは、関係から純粋に疎外された関係幻想と身体から純粋に疎外された自己意識とが〈身体性〉をもつ位相に成立するのだ。

次の詩連をみよ。

おお　遠くまでさけている亀裂の長さを見よ
とおい屈辱の記憶の底から這いあがってくるもの
ただそのために生きればよい
異和感の舌を抜くな
異和そのもののように生かされている場処
でこそ肩に力を加えよ足に力をこめよ
完遂することのなかったゆめ
逆に〈おれ〉を射殺したゆめ
の乳房を再び死者たちの空に求めて

「挽歌・74」より（部分）

ここで〈情況〉の意味を語らない。わたしたちにとっての〈現在〉について論理化してきたことと、それからそれを語るべき未知の人は他にいるという理由によって。わたしたちは、だから〈倫理〉の意味するものだけをもとめていく。

身体を疎外し尽しながら、そこになぜ〈身体性〉がくり込まれるのか。それは、わたしたちが「異和そのもののように生かされている場処」で、じぶんの生きる〈過程〉を選び択ったからである。いいかえれば、関係幻想と自己幻想を、その極北の形式＝〈輪郭〉で完遂しながら、この日々の〈現在〉を生きつづける意志を自らに課したからである。

〈倫理〉が〈身体性〉と媾合し、そのイメエジが〈姉〉へと錯合されるのは、わたしたちが自己疎外の意味をこの個としての〈不安〉のなかに持続し、じぶんの〈過程〉をどこまでも〈輪郭〉として生ききるときなのだ。
たしかに立中もまた、かれをとりまく現実の関係から異和されるように、透徹した〈倫理〉を生きようとした。少なく見積っても自死の半年まえまでに、ここまで詩意識を〈方法〉化し、観念の絶対性の過程を対自化しようとしたことについて、その詩的想像力に畏れを抱く自分を禁じない。けれども、この〈倫理〉とは詩的表現によって措定され、持続されるものでありながら、逆にわたしたちの日々の全ての〈過程〉を規定しかえす〈輪郭〉でもある。立中の自死の理由を規定しようなどと思わない。だが、〈倫理〉の透徹力がこの〈現在〉を根源的に串刺しにするところ、つまりわたしたちが現実の世界を醜く異和し、他者を恥も外聞もなく侮蔑するところで、わたしたちがじぶんの想像力の不毛と荒涼をかかえ込むとき、深甚な危機があったというべきだ。

生き残るのは罪である
のか？　死んでいったものたちの確かなねばみ
が〈おれ〉の体腔にながれてくる
〈オマエハナゼウネッテイルノカ・・・
ああ〈おれ〉は
死者の敷きつめられた台地を踏みしめている
〈おれ〉を射殺しにくる死者よ

何もかも喪せてゆく季節は
何ひとつ喪はないためにある
〈おれ〉は何も喪いはしないだろう
ただ〈死ぬ〉ことを確実に喪う以外には

「挽歌・74」(最終部分)

ここでわたしたちは〈立中潤〉と決定的に決別する。冗談ではない、〈死ぬ〉ことが喪われているだって!テメエがくたばっておいてカッコイイ詩篇を残してくれたものだ。

〈倫理〉の透徹力は、この日々をいつでも全否定しうるのだ。〈関係幻想〉への意志によって執着するこの日々の〈対なる幻想〉さえ、日常の齟齬のみならず、この〈自己意識〉の結晶過程によって常に変質する危機に晒されている。ただ、それでもなお、わたしたちはこの〈過程〉を辿るだろう。〈倫理〉の行方を看取るように。そして日々の暮らしのなかで解体しつづけるこの〈先験的自立〉をいますこし繰りのべるように。(了)

〈注〉立中潤のテキストはすべて弓立社刊・立中潤遺稿集『叛乱する夢』、『闇の産卵』から引用。

3　『全共闘記』論　〈関係の相対性〉の絶対性について

一　自己同一性の否定とその結晶化

なぜ『全共闘記』なのか。〈全共闘運動〉を作品として虚構化することの意味はどこにあるというのか。

いったんそう問うてしまうと、わたしたちはもう自己史的な想念と〈この時代〉への固執の根拠に、どこまでも論理の斧を振り下ろし、懐旧へ密通する心性を削ぎ落とし続けなければならない。〈全共闘運動〉をめぐるどのような体験も想い入れも、表現思想を対象化するという作業のまえに捨象される。ただひとつの抽象化された形相とひきかえに、わたしたちは〈この時代〉における宿念さえ惜しげもなく無化していくことになるだろう。

改めて言わねばならないが、ここでもわたしは〈全共闘運動〉それじしんの表出してしまった不可能性の意味について語ろうとしていない。それは一九六八年に、まだ田舎町の小学生にすぎなかったものの任ではない。ただ一五年ものあいだ煩ってきたその口に出すのも憚られるほど不分明な痼疾の、ささやかな原理化を試みるばかりである。それは、〈全共闘運動〉の対自化を、虚構化された作品の表現思想というもっとも困難な領域で追求した、この小説群の〈方法〉を剔抉するというかたちでおこなわれる。

さて、初めから少し迂回路を通ることとなるが、端言した〈この時代〉における観念の宿命とはどのようなものか、その範型を描くことからはじめよう。もちろん、その意味を対自化しつつ捨象するとき、わたしたちがどんな表出水準に抜けでるか、それを明らかにするために。

ことは抽象的である。それがあまりに過剰な意味を背負おうとするから。

彼は情報文をめくる手を休めて、過ぎ去った一年間のことを——三人だけのパルチザン闘争が始められかつ終わっていったこの一年間のことを、振り返った。彼らの爆弾がひとつひとつ炸裂していくのに促されるかのように、下層民衆を中心としたこの国の社会的混乱は、僅かずつ水面に浮かびあがってきたところだった。勿論、相もかわらず政府と軍の提燈を持って、野蛮な号令をかけることに卑小な情熱を燃やしている連中はいる。しかしその一方で、無名のそして無数の窃盗者たちによる食糧と貨幣の略奪は激化し、下層の上層に対する、貧者の富者に対する敵意と破壊は目にみえるものとなり、軍規はその末端からようやく緩み始め、そして夥しい流言と蜚語は、官憲の耳元を掠めながら日常的に飛びかい始めていたのだった。この無秩序、この聖なる混乱の中からこそ、〝敗戦〟は産み落とされねばならなかったのである。——あと半年だけでも戦争が続けば、と記者はもう一度想った。あと半年戦争が続けば、この国は第一次大戦後のドイツがそうであったような炎と可能性で彩られた日々を迎えることができるかもしれない・・・・・・。

（中略）

《そこへ行かねばならない》

記者は机の下に置かれた鞄を靴の先で確かめながら、そう考えた。東亜の大地という大地、海という海を屍でいっぱいにし、なおかつこの国の敗戦に当って自ら生きのびようとしている男、地の底の王・或いはあの男に向けて、それは投ぜられねばならない。——

（桐山襲『パルチザン伝説』より）

この緊張力も生彩もない表現は、けれどもひとつの範型という方向へ抽象化してみれば、そこにたしかにわたしたちの自己否定的な観念のありようを図式化してくれている。「敗戦」を徹底化するために「天皇」の暗殺を企てるという構図は、わたしたちの視角によれば次のような観念の軌跡を表象している。

まず、「敗戦」への固執という点では、既存の擬制的体制を破壊するためには徹底した無政府状態と混乱が現出されねばならず、またその過程でこそ、体制を支えるひとびとの愚劣な従順と無恥なる放恣と狭隘な猜疑に満たされた自己同一性も焼き尽されねばならないという想念が看て取れる。この想念はいわば、自己及び他者への憎悪を共同的な破壊へ仮託しようとする心性に基づいているとみることができる。

そして、「天皇」の暗殺という指向は、この共同的な破壊をもとめる情念が、目前で放散し結局は収束へむかっていく情況によって裏切られたとき、恰かも己れじしんを尖鋭化するように追いつめられて、ひとつの象徴へ憎悪を収斂させていくというアポリアを映し出しているとみることができる。

『パルチザン伝説』の作者は、ここに引用した部分を含む「敗戦」時点の手記を「一九四五年八月十四日の伝説」と称し、さらに「東アジア反日武装戦線」の「虹作戦」に取材した架空の御用列車爆破計画に関する手記を「一九七四年八月十四日の伝説」と呼んで、それぞれの事件の担い手を謎につつまれた父と子の間柄にある存在として設定することによって、このふたつの「伝説」を因縁づけようとしている。作者によれば、この作品は「この国の〈戦後〉というもの、また一九六八年から現在に至る〈この時代〉というものを考察し、文学的に表出しようとした」（同書所収「亡命地にて」より）ものだという。

わたしたちはこの作品が作者の企図を果成し得ているとはとうていみとめられないし、その表出レヴェルも大して評価するに値しないとおもっている。だが、この作品のなかで描かれた構図をこちらの抽象化度にひきつけてみるとき、そこには偶然（？）にも〈この時代〉において情況と観念とが交錯するひとつの原風景がデフォルメされているとかんがえるのだ。

さて、だがわたしたちの視角において〈この時代〉とは、ひとまず表出史としての〈一九四五――　〉を指している。〈一九六八――　〉が、近代表出史の到達域として〈この時代〉と呼ばれるのはまだ少し先、つまりすくなくとも方法としての〈全共闘記〉を論考する段においてのことである。

〈この時代〉における情況と観念の交錯する風景とはどのようなものか。極言すれば、それは〈自己〉が情況の磁場によって、その内実の否定という宿命を胚胎してしまうところで光芒する、あの自己同一性への未分化な憎悪のありさまである。

尤も、わたしたちはここで〈全共闘運動〉の遺した〈自己否定〉という理念の意匠について述べようとするのではない。たとえば〈自己否定〉という一種功利的で主知的な理念となって言語化された情景の、その原像を問いたいとかんがえているのだ。

〈自己〉とそれをめぐる関係性をありうべきものへ変革するためには、社会的関係の総体を狙上にあげねばならず、社会体制と政治的幻想を変革する過程でこそ、〈自己〉とそれをめぐる関係性をかえていくことができるのだという考え方は、思想としては成立しうるのかもしれない。しかし、この考え方を根拠づける論理――〈自己〉の内実が間主観性として成立しているとか、関係の総体としてあるとかの所謂関係論的なそれ――と、わたしたちの観念の原像とのあいだには未だ架橋することのできない幻想の暗河が横たわっている。

わたしたちは、この自己同一性への未分化な憎悪を整序された哲学的認識に昇華させるのではなくて、その変質と展開の過程から〈この時代〉の観念と情況の交錯する様相を抽出することによって観念の原像をもとめてゆきたいとおもう。

さきに『パルチザン伝説』の引用部分から読みとった観念の軌跡は、次のふたつの素描として抽象化することができるだろう。

㈠　自己同一性への憎悪を共同的な破壊を招来する幻想へと汎化させる過程

㈡　共同的な破壊への幻想が裏切られたとき、破壊への志向性をひとつの象徴的な対象へと凝縮化もしくは結晶化させる過程

貧しい知見のなかから、〈この時代〉における仮構で㈠の観念の過程をよく表出している作品をあげるとすれば、それはまず高橋和巳の小説群、とりわけ『邪宗門』であろう。高橋和巳はその全構想力を注いで、「世直し」という共同的な破壊の観念を現実化しようと蜂起する教団の滅亡を描くという逆説的な方法によって、未分化な自己同一性への憎悪が光芒する自滅の叙事詩を紡ぎだしている。高橋和巳の小説には、いつも共同的な破壊への憧憬ともいうべき基調音が響いているが、

『邪宗門』以外の作品では、それが主人公たちの倒錯した〈重〉倫理性と内向的な解体の宿命に密封されている。
(二)の過程を看取するには、大江健三郎の『われらの時代』や『セヴンティーン』が好都合である。乱暴な抽象を行ってみれば、前者には自己同一性への憎悪が共同的な破滅の喪失=失楽をぐって〈象徴〉への殺意へと倒錯していく様相が、そして後者には逆にその失楽から〈象徴〉への自己投企に至る様相が表白されているとみることができる。大江健三郎のばあいは、自己憎悪と自己欲動がアモルフなまま性的表現に仮託されており、〈象徴〉も性的存在として描かれている。
さらにまた、破滅の幻想をひとつの〈象徴〉へ結晶化させる心性に〈美〉の極相を幻視しうるとするならば、わたしたちは三島由紀夫の『金閣寺』をもこの観念の過程を表白する作品と看做すことができるかもしれない。

しかしながら、『パルチザン伝説』の表現にはこうした観念の表出力が看取されない。それは作者の意図とは裏腹に、題材や状況設定のもつ即自的な意味にもたれかかっているようにみえる。

ところで、エンドクサの程度で「情況」といえば、〈この時代〉においては、敗戦やそれに続く社会的混乱、六〇年安保等の政治的昂揚と敗北、そして就中六〇年代後半の社会的叛乱とその閉塞などが想起され、その過程での主体のあり方が問題にされる場合が一般的であるようにおもわれる。あるいはまたこのような政治・社会情勢に限らなくとも、戦後過程における時代的環境の総体をさしてそこでの〈自己〉の内実を問おうとするとき、この言葉は特有な意味をもたされているようにみえる。ここでは、こうした文脈性をもった小説を、これもまたかなり乱暴な命名ではあるが「情況小説」などと仮称してみることにする。つまり、先に例示したような作品をひとまずそう呼びたいということだが。

するとどうだろう。先にみたような観念の過程を表出した作品を俎上にあげれば、そこではいわば自己同一性への憎悪という〈原〉モチーフが情況を呑みこみ、その時代的苛酷を孕みつくそうとしているかのようではないか。これらの「情況小説」においては、〈情況〉とはすでに政治・社会情勢や時代環境という意味あいを越えたなにものか、おそらくは作品主体（登場人物または作者）の原質ともいうべき意味性を湛えているようにみえる。

いいかえれば、〈情況〉とは、そこから〈自己〉が規定を受けたり、そこへ加担したりすべき外在的な関係性としてあるのではない。また、〈情況〉をくぐることで〈自己〉がじしんを懐疑したり、「主体性」を獲得したりするというような精神の経路を、そこに読み取ることはできない。

むしろそれは、本質的には〈自己〉の混融した猥雑な存在のありさまとして感受されている。〈情況〉は〈自己〉と〈自己〉以外のものたちとの下半身を不分明なままに満たす出自の原質、すなわち〈類的〉な幻想の母胎に他ならない。だからこそ、わが「情況小説」の作品主体たちは、恰かも〈自己〉を憎悪するかのように〈情況〉を憎悪し、共同的な破滅を嘱望するかのように自己同一性を呪咀するのだ。

しかし、なぜ〈情況〉はわたしたちの観念のまえで特殊時代的な諸要素や具体的な関係の磁場であることを止めて、〈類的〉な幻想の母斑を帯びはじめるのだろうか。いや、それを逆に問えば、なぜわたしたちの想像力は〈類的〉な幻想を〈情況〉という時代性へ仮託することによって表出してしまうのか。

その借問に対してわたしたちはひとまず次のように（吉本隆明の口ぶりをまねて）こたえられる

だけだ。

とりあえず本質論としていえば、一般に〈類的〉な幻想は、ひとつには「情況小説」に看取されるような〈共同的〉な幻想の領域に疎外されるか、あるいは〈性的〉すなわち〈対なる〉幻想の領域に疎外されるか、このふたつの表出性をもっているだけである。〈類的〉な幻想を表出したいという衝動をもつもののうち、〈対なる〉幻想の領域を本質的にぐらない資質が〈共同的〉な幻想領域に〈類的〉な想い込みを介入させることになる。これまた粗暴ないい方をすれば、わが「情況小説」の作品主体たちには、(作者でいえば高橋和巳にも大江健三郎にも)本質的な意味でいう〈対なる〉幻想の領域が驚くほど欠落していることがわかる。(大江の作品では〈性的〉な表現が極めて重要な比重を占めているが、それは自己同一的な〈性〉であり〈肉体〉であって、あえていえばそこには〈自己〉を根源的に脅かす〈対なる〉相手のイメエジが看取されない。)

さらにそのことを時代的な状況の問題としてみれば、それこそが〈この時代〉における観念の宿命なのだと言い切りたい衝動に駆られる。たとえばそれは歴史の意志が〈一九四五――　〉に、すなわち近代の到達域に、あまりに過剰で濃密な関係幻想とその失楽との経験を与えたからである、と。そしてそれゆえにわたしたちの観念は、〈一九四五――　〉というじぶんの出自を憎悪することによって絶望的な転生に賭けざるをえないのだ、と。

さて、ではその絶望的な志向が裏切られたとき、わたしたちの観念はどのような過程を辿りはじめるのか。いいかえれば、共同的な破滅が不発に終ったとき、わたしたちの観念は自己同一性をどのように死滅させようとするのか。その隘路こそが、〈情況〉への憎悪をひとつの〈象徴〉に対する殺意へと導いていく。

ところで、〈類的〉な幻想を疎外＝表出するということは、同時に〈自己〉の幻想を疎外＝表出することに他ならない。わが「情況小説」における表現は、この機制を〈共同的〉な幻想領域と〈自己〉の幻想領域との相互疎外というかたちであらわにしてくる筈であった。だが、先にみたようにこれらの表現においては、〈情況〉をめぐる想い込みに依って〈類的〉な幻想が未分化なままに両者の領域を侵しているために、〈自己〉の幻想領域が文字どおり自己疎外の過程を完遂できないのだ。

だから、じぶんもろともの共同的な破滅の幻夢に見離されたとき、わたしたちの観念は〈自己〉という幻想の自立はもちろん、その死さえ失うことになる。しかし、にもかかわらず〈自己〉の死は成し遂げられなければならない先験的な宿念であることをやめようとしない。

ここに共同的な破滅への希求が〈象徴〉の死滅へと換置される心的なねじれの根拠があるとおもわれる。わたしたちの観念は〈共同的〉な幻想を疎外し対象化することができないために、〈共同的〉な幻想の〈象徴〉、すなわちその究極的な価値実体と看做される対象にむかって自棄的に志向を収束させていくのである。たとえば「天皇」や「金閣寺」と対峙もしくは同位するとき、はじめて自己同一性がたしかな感触をもって凝縮し、それを死滅させるときはじめて〈自己〉が死をむかえることができると想い込むかのように。

さて、話がまわりくどくなってしまったが、わたしたちが〈この時代〉とひとまず呼んできた〈一九四五――　〉という表出史における観念の宿命を一瞥したうえは、さらに〈一九六八――　〉をこそ〈この時代〉と呼ぶべきその根拠について記念しておこう。

わたしたちは先に、〈この時代〉すなわち〈一九四五――　〉を生きる観念たちにとって、〈情況〉という磁場のなかに幻視された〈共同的〉な幻想領域も、それと対極されるべき〈自己〉の幻想も、ともに〈類的〉な幻想という出自の原質から未分化であり、それゆえにこれらの相互疎外が本質的に成立しえないのだという事情をみてきた。このことを逆にみれば、表現主体にとって〈情況〉とはいわば未分化な〈世界〉の総体性とそのカルス（可塑性の原形質）という意味あいをもっていたとかんがえられる。表現主体は、己れの想像力で仮構した乾坤のなかで、〈共同的〉な幻想領域を〈自己〉と逆立すべきものとして疎外＝対象化することができず、またそれゆえに無理心中を求めるかのような無し崩しの密通＝侵犯を帰結してしまうのだが、それは極言すれば拭っても拭っても拭いきれない〈世界〉との同質性を〈情況〉という現存性のなかに感受せざるをえないからなのだ。

　しかし、ここでやっとわたしたちが掛値なしで〈この時代〉と呼ぶべき〈一九六八――　〉の現存性にあっては、観念にとって〈情況〉のもつ意味性は決定的に変容しているといわねばならない。〈この時代〉にあってもたしかにわたしたちの観念は〈情況〉と交錯しうる。だが、その情景において、〈世界〉は〈自己〉と地続きな類的乾坤でも、〈自己〉の対岸に聳立する圧倒的な絶対性でもない。いいかえれば、わたしたちは〈世界〉に孕まれることからも、〈世界〉と冷たく対峙することからも放たれている。それはいってみれば限りなく〈自己〉から疎遠な〈相対性〉の束として広がっている光景なのだ。

　そのイメエジを簡単にデフォルメすれば、それはまず〈全共闘運動〉が〈共同性〉の意味を、たとえ倒錯した方向へであっても決定的に定立しようとしたことに依っている。つまり、〈共同性〉を〈類的〉な幻想から疎外し、〈党派性〉という〈共同幻想〉に錯合させたということだ。勿論

〈党派性〉の問題は〈この時代〉に始まったことではない。だが、〈全共闘運動〉だけが、〈党派性〉という名の価値の絶対性を心底から絶対的な相対性にかえることを完遂しえた。

そして次に、それゆえにこそわたしたちの観念は〈党派性〉に憑依したり、そこから撥ねのけられたりする形状をとおって〈自己〉という幻想をもっぱら対他的に凝結させる過程にたち至ることができたのだ。

このことを先に提示しておいた観念の過程にひきつけて述べれば、㈠の共同的な破滅をもとめる観念の基底にあった〈類的〉な心性が剝落し、〈世界〉が絶対的な相対性の束へと分節化されたことを意味し、㈡の過程にみられた観念の〈類的〉な志向性をひとつの対象的な価値実体へと収斂させていく心的な機制は、ここで〈共同的〉な幻想の〈象徴〉への固着化ではなくて、〈党派性〉に規定されてあるという羈束性を槓杆として〈自己〉の幻想の排他的な結晶化をもたらしているとかんがえられるのだ。

わたしたちは次節で、この事情を兵頭正俊による小説群『全共闘記』のなかに具体的にみていくことになる。仮構された表現における〈全共闘運動〉の核心的な意味。それはわたしたちの観念の内実を脱色し無化するあの〈絶対的な相対性〉の構想にもとめられるだろう。その構想のためにわたしたちが着目するのは、〈情況〉の磁場のなかで折出されていく〈倫理的純化主義〉（カント）という方法である。

二　倫理的純化主義から〈絶対的な相対性〉へ

ニヒリズムの本質はいったい何だろう。あるいはニヒリズムの対極にある想念とは何かと問うてもいい。するとその問いに自ら答えることはさほど困難ではない。〈ニヒリズム〉の対極にあるものは〈不安〉である、と。

わたしたちはここで〈ニヒリズム〉の本質を「〈死〉の思惟領域における意志的な、または反意志的な思惟の中途停止」であるとかんがえている。もう少しだけ言葉を重ねれば、「〈死〉の〈思惟領域〉」とは〈類的〉な幻想からとおく疎外され脱色された関係幻想の意味であり、「思惟の中途停止」というとき、わたしたちは想像力というものを自らの思惟内容を次々に解体・変容させていく弁証法的な過程のように看做している。

ところで、『全共闘記』と冠されたいくつかの小説の対自的なモチーフとは、他でもなくこの〈ニヒリズム〉の止場である。しかも、〈ニヒリズム〉の純化による〈ニヒリズム〉の止場、それがこれらの表現に籠められた〈方法〉の宿念である。

峰田ヒサという女・・・。あれはひどい莫迦です。克影さん、こういう強いいい方にあなたはびっくりなさったかもしれませんが、しかし言っていいのですよ、あの人たちも陰に陽にあたしたちに悪罵を浴びせているのですから。彼女は今では日共の党員にまで堕落して、あいかわらず上からの通達を下におろす中継ぎ役みたいなことをR大でやっている。あの大学院生は自分の頭で考えないんです。喋ることはみんな「赤旗」と「祖国と学問のために」から出ているのですからね。彼女がみんなとおなじことを考え、みんなと同一歩調をとり、空に向かって拳固を突きあげ、朗らかに笑うことをどれほど重視するか。異端とか少数派とか革命ということばにどれだけ恐怖を示すか。

（中略）

秦真也のような男。ええ、かれはとてもやさしい。善人です。腕力も強い。短く刈った頭は、かれがスポーツマンであることを、均整のとれ体軀とともによく物語っている。かれは朗らかであり、義理に厚く、弱いものに涙脆い。（略）R大共闘会議が本部をバリケード封鎖したとき、かれはひどく怒った。おぼえていますか、克影さん。あたしたちのバリ封鎖は、話しあいを拒否した、一方的な蛮行としてかれの目に写ったのです。しかしそのバリケードを民青が解除しようと武力行使したとき、かれは今度は民青にたいして激しい怒りを持ちました。つまりすべてに怒ることができるから、秦はほんとうに怒ることができないんです。でも、バリケードの問いかけはその下限の水準でかれの倫理感に訴えた。それでかれはよくお酒を飲む。問いかけから遁げるために。（略）何かしなければならないと思うけど、本質的に秩序派なもので、酒の勢いにまかせて喧嘩をすることくらいしかできないんだ。

（中略）

問題はバリケードのなかにもあの人たちが入り込んできているということです。この見分け方はとても困難だ。かれらは一応は反体制的な言動をし、日共を莫迦にして見せますからね。それにスクラムも一緒に組み、逮捕されることだってあるのだから。しかしこれもふいにその人があの人たちの仲間であるということを暴露するときがあるんです。まるで影にしっぽがついていたので向こう側の人間であるということがわかったというくらいに、これは発見が困難で、また呆気ないのですよ。

知っているでしょう、克彰さん、虫沼盛光——あの、穴のあいた靴下を穿いているC党派の社会民主主義者。（略）喫茶店でかれがこういったからあたしにはかれの勢いのいい、社民的なことばが何処から出てくるのかがわかったのです。

「栄子さんがぼくに質問するのはいいのです。しかしぼくが栄子さんに質問するのは恕されないんです」かれはそれから胸を張ってからつけ足しました。「だから、ほら、思いだしてごらんなさい。いままで多くの議論や世間話をしたけど、いちどだってぼくがあなたに訊き返したり、質問したりしたことはなかったでしょう？」

教授たちを否定する思想と、二回生下の学生にかくも威厳を保たねばならない世間像とが、ひとつの頭に同居できるということに、そのときあたしは感嘆の声をあげてしまったほどでした。

（「死閒山」より）

ここに顕かに看て取れる〈蔑み〉の視角は『全共闘記』という小説群の全篇に通底する特質である。〈全共闘運動〉の「陰」を執拗に抉りつづける灰汁のつよい文体に、まずはじめにわたしたちは固有な毒を吐きつけられる。だが貪り含むその毒が全身にまわりはじめると、わたしたちは今度は懐しく哀しい幻聴をきくようになるのだ。恰かも年長の血縁の女が寝物語に語る処世訓にも似たペシミズムの響きが、そこに基調音のように流れている。「こんな男が人類の解放とか国家の死滅とか叫びだすかと思うとそれだけで未来には何の希望も持ってはならないということがよくわかる

のでした。」（「死閒山」より）

けれども、その毒が更に深く想像力を侵すとき、わたしたちは抒情的ペシミズムの代謝を削ぎ落しつつ、極めて対自化された〈死〉の思惟領域を越境する〈方法〉の論脈へと出発してしまっているのである。

さて、引用部分にはまず「日共＝民青」という擬制的前衛への〈蔑み〉の視角が表現されている。わたしたちはその表現の指示表出性に従って、まずそこに「学園紛争」における全共闘と民青の「内ゲバ」（実際は「外ゲバ」）の対立構造を思い定めておこう。両者の角遂の叙述は「霙の降る情景」によく即物的に描かれているが、それを端的に言い詰めてしまえば〈奴は敵だ、敵を殺せ〉という政治的な対立の露出と看做すことができる。勿論、権力及び権力と同じ思想をもったスターリニズム党派に対して〈全共闘運動〉が突きつけた理念と運動と関係性の内実や、〈バリケード〉という思想的・物理的・身体的な意味性の聳立を、その対立の根拠に挙げねばならない。そしてたしかに『全共闘記』のなかにそれらの理念や意味性の指示的な叙述の断片を見つけだすことはできる。けれども、この〈蔑み〉の視角として表出されたエクリチュールの本質は、そこに読み取れる指示表出性の内容が脱色されたところに姿を現わしてくる性質のものである。だからここではそれらの理念や意味性の検証の方へいくのではなくて、埴谷雄高の相貌でもなぞりながら〈蔑み〉の視線が深く〈政治〉をめぐる普遍的な〈党派性〉の問題に覊束されていることだけをひとまず対自化しておこう。

次に現れる〈秦真也〉への〈蔑み〉の内実は、〈峰田ヒサ〉へのそれとはなにか非常に異質なものだ。

> 〈語り手の女が酒場で声をかけられ、秦真也と話す場面〉
>
> 秦の顔に真剣な表情が漲りました。あなたは井のなかの蛙だけどひとつの典型をつらぬいているので、意味をあたしは認めるといったのに、またぞろ誤解したのです。「ぼくはあまり他人の意見に左右されません」とかれは容（かたち）を改めました。「つまりぼくが自分の世界に執着するというのは――」／「その執着をどのようにして切るかということが・・・」／「たしかにぼくは今は何もやっていない。しかしぼくがやりだしたときはいちばんラディカルなことをやると思うんだ。機関銃で機動隊を殲滅するといったような――」（中略）／大切なことは、かれが今でもこう語っているということなんだ、「全共闘の連中が寮問題で大学当局に最後通牒を突きつけたときはおれは悔しくてならなかった。あの日の晩は眠れなかったほどだ」、「本部がバリケード封鎖されてから、おれもじつによく頑張った。毎日毎日が喧嘩の連続だったからね。喧嘩しに大学にいっているようなものだった」。つまり、秦は自信を持っており、毫もそれが揺らいでいないということを摑んでおかないといけないのですよ。

〈蔑み〉の視角がその内に映しているものは、〈秦真也〉が「本質的に秩序派」であって〈バリケード〉側の人間ではないことであり、〈全共闘運動〉の「光」の部分の「苦悩」のみを掠めとり自慰的に再構成できるところの処世的で硬直した価値観や感受性の持ち主であり、それゆえ空虚な自己同一性を揺がせえない人物だからである。

しかし、わたしたちはこう言ってみたところでまだまだ掬いあげることのできない文体の背後にある視角のズレのようなものを感じないわけにいかない。それは〈蔑み〉の視角がほんの僅かな虞れを孕みながら、〈党派性〉の象限とダブリながらもそういってよければ〈人格〉の象限へと移動したかのような按配なのだ。

わたしたちはいまではその感触があまりにちかしいために普遍的と想い込んでいるが、ひょっとして政治的・思想的な問題で党派的に対立している相手を心底から侮蔑するという心性は、その核心の部分をみればかなり時代的な特質を刻印されているのではないか。いや、ひとりの表現者が〈六八――　年〉の対自化を志向した作品において、この〈蔑み〉の文体を構想したのである以上、そこには〈この時代〉の意志が表出されている筈であるし、わたしたちはじじつその点にこそ『全共闘記』の真価をみとめているのだ。

そのことを垣間見させてくれるのは、〈秦真也〉に続く〈虫沼盛光〉への視線の部分である。

書き抜いた箇所だけをとってみても、そこにすぐに看取されるのは〈バリケード〉という言葉の意味性の転位である。これまで対峙する〈敵＝味方〉の構図を画してきた〈バリケード〉は今や〈党派性〉による対立の位相にばかり存在しているのではない。そしてまたたんに存在の「革命」を志向する筈の人間の〈人格〉の頽廃を指弾し侮蔑しているだけなのでもない。一見ひとつの共同幻想の内部で交感される近親憎悪といった仮象を経ながら「向こう側」と「こちら側」〈語り手の女〈菱川栄子〉は〈小野寺克彰〉へ「あたしがこう忠告するのはあたしがあなたは自分とおなじ側の人間ではないかと考えるからなんです」と語りかけている）の人種のちがいを云々するニヒリズムの開陳のようにみえて、さらに猶ほ〈バリケード〉はその位相をも越えかけているのだ

この引用部分につづいて語り手は「ほんとに無意味なC党派内部の内ゲバ」の挿話によって〈虫沼盛光〉が「アマチュアのマキャベリアン」である馬脚を露わした経緯を語るのだが、そのなかの

〈虫沼〉が『『モラリスト』という仇名を頂戴していたほどの潔癖家で、C党派のなかでも、もっとも初期のノンセクトの活動家に近い雰囲気を持って」いた〈深沢さん〉に悪罵を浴びせた描写のあとで、わたしたちはさりげなくも極めて瞠目すべき叙述に遭遇する。

かれにとって論理の一貫性ということほど無縁なものはなかった。かれはいい加減なことを、人を小馬鹿にしたような調子で喋り、話の進み具合によっては、一時間前に語った内容とまったく逆のことが、勝つために語られるということも少しも珍しいことではありませんでした。（傍点原文）

わたしたちはまずここで〈バリケード〉ということばを、作者がその評論文で「発語者としての自己の魂にはふれることなく、あらかじめ対象に死を宣告したうえで、聴くであろう第三者の存在のみを意識して発語される対他的言語」（兵頭正俊「対他的言語の彼方へ」）と指示しているところの〈ことば〉と、その〈ことば〉の背後にある「世界像・人間観」とへむけて突出せしめられた反意と否定の表象として解読しようとするかもしれない。だが、ほんとうは人間と人間の関係の磁場に「あちら側」と「こちら側」を画定する〈バリケード〉が、他ならぬ〈蔑み〉の視角によって、つまり〈対他的関係〉の意志によって幻視されたものであることの、その倒立した自画像の意味だけが肝要なのだ。いいかえれば、〈蔑み〉の視角はこのときすでに他と我とにとって相対的で相互的なものへ変容しているという意味性こそが、わたしたちを次章において〈この時代〉の表出水準へと導くことになるのだ。

〈蔑み〉の視角を構想する〈主体〉は〈対他的関係〉の意志によってみたされ、〈蔑み〉の視角を表現する文体は「対他的言語」によって紡ぎだされている。

とすれば〈蔑み〉の視角は、それを〈他者〉にむけることで〈自己〉の領域を異和のように析出していきながら、どこまでも自らの視角にうつる〈他者〉の輪郭へとじぶんを似せていくひとつの逆説である。そしてそれはまた「あらかじめ対象に死を宣告し」、それによって自らの〈ことば〉の価値に相対的な死をつれてくる、あの〈死〉の思惟領域の風景＝〈死閒山〉を仮構しつつあるのだ。


だが、ここまできてわたしたちはもういちど口籠りながら借問しなければならない。それにしてもなぜ、〈対他的関係〉への意志が〈蔑み〉の視角となって表現されねばならないのか、と。

わたしたちは前節で、〈全共闘運動〉のラディカルな意味を、㈠〈世界〉に対する〈類的〉な心性が剝落し、〈世界〉が絶対的な相対性の束へと分節化されたこと、㈡〈党派性〉の極限化によって〈自己〉の幻想をもっぱら対他的に凝結させたこと、という点にひとまずみとめていた。ここではもう少し、〈全共闘運動〉がわたしたちの想像力の視野にどのようなイメエジとしてたちあらわれてくるか、それを内在的な事情にそくしてかんがえながら、先の提題に応えていきたいとおもう。

さて、わたしなりに〈全共闘運動〉のもっとも核心的な特質を挙げてみれば、それはこの〈運動〉がみずからの存在をも含めて問題を「倫理」的に措定してしまったということである。ここではひとまず「倫理」という言葉を仮に「良心」という意味に読みとって、高橋和巳などの貌を想い起してもらってもよい。

ところで、周知のように〈全共闘運動〉は、「インターン制」や「不正経理」や「寮問題」、「処分問題」等々の、それ自体としては部分的・特殊的な問題を契機として顕在化した「大学問題」だとされている。あるいはその一方で、学生たちの運動が大学から暴力的に放逐され街頭闘争から爆弾闘争へ拡大＝縮小する過程から、そこにひとつの社会的叛乱の表現形態をみようとしたり、文化的領域の変化も含めて、総体的社会変動の表象ととらえたりすることも一般的であるようにみえる。

もちろん、最初に言明したとおり、わたしたちは〈全共闘運動〉の社会史的・思想史的意味付けを全くこの論考の目的から外している。わたしたちが〈全共闘運動〉と呼んでいるのは、いってみれば「不正経理」の究明運動から「連合赤軍事件」以降にまで渉るところの総体であるけれども、その総体の核心的な意味は〈バリケード〉の出現したキャンパスのみで全て問い切ることができるものだとかんがえている。誤解を虞れずにいえば、だから「倫理」をめぐる「大学問題」こそが、わたしたちに〈全共闘運動〉の本質を指し示しているのだとみなしている。

では「倫理」の問題とは何かといえば、それは自らが自らに発した問いにどこまでも応えようと誠実に思考するという〈解体〉の過程に他ならない。たとえば〈バリケード〉の露呈した問いがまずはじめに「大学とは如何にあるべきか」ということであったとしたら、それは同時に「大学に学ぶということは自分にとってどういうことか」という問いへと転形し、さらには「知とはなにか」というところまで問いすすまねばならない性質のなにものかであった。しかも瞠目すべきことはこうして無限に深化する問いが、レポートを期限まで提出するかどうかとか、今日のゲバルトは極めて危険だがそれを一個の身体として担うかどうか、といった生身の即物性として表現されてしまったということである。

さらにこの「倫理」の問題は、その担い手が「学生」や「大学教員」であったところから、必然的に〈知〉の内容へと、つまり「世界像・人間観」の中味を問う地平へとつながる可能性を含んでいた。自己の「倫理」的な当為と世界認識が統一されてあるべきだという価値意識は、この国に〈マルクス主義〉が移植されて以来それほど新奇なものではなくなっていたのかもしれないが、しかしそのことを本気で、総体的に、しかも〈運動〉にかかわったすべての者に問いかけてしまったということは非常に特異なことであるように想われるのだ。

むろん、〈全共闘〉の連中のなかでこうした「倫理」的な問いを対自的にうけとめていたのはほんの少数のまさに「良心」的なひとびとでしかなかったとか、〈運動〉は主に党派的な強制や使嗾で行われていたとか、もっと放恣的で乱暴なものだったとかいうシタリ顔の反論がきこえてきそうだが、そんなことに構う必要はない。なぜなら、「倫理」的でない者たちをこそ〈蔑み〉の視角が襲い、そしてそれを逆説的に「倫理」化してしまうという構造がそこに介在するのだから。そう、わたしたちの「倫理」はここで高橋和巳的な「良心」や「誠実さ」と訣れ、もう一度転位するのだ。

A「わたしは教育者としては機動隊の学内導入に反対だったんです」と法学部の西沢教授がいった。落ち窪んだ眼窩の奥の光は、今や定まることを知らず、と見こう見するのだった。「しかし法律家としては正式な捜査令状を見せられると反対するわけにはゆかなかったんです。」

ぼくたちはあんまり悲しくて腹を抱えて嗤った。ひと通り嗤い終わると、いっせいに罵声が飛んだ。たとえば、

馬淵竜夫（法闘委）・・・・「二元的存在論じゃないか！」

石田正影（中核）・・・・・「専門莫迦！」
安藤博隆（ＭＬ）・・・・・「ゴリゴリの形式主義者！」
世良峰男（ブント）・・・・「二重人格者！」
雪田七之進（応援団）・・・「ええかげんにせいよ！」
守屋二郎（民青シンパ）・・「先生、頑張れ、暴力に屈するな！」

（「二十歳」より）

「二十歳」は「死閉山」よりもかなり抒情的ニヒリズムの色調を帯びており、作者の方法的自覚が未完遂のまま表現されているようにみえるが、それでもなお、ここにはよく〈倫理〉の所在が描かれている。

機動隊の学内導入に対する態度を糾弾されているのはたしかに「教授」であり、かれはその価値観や世界認識と人格性とをともに否定と侮蔑の俎板にのぼらされている。しかし、この「教授」と敵対的もしくは同伴的に表出された「学生」たちの像もまた、「教授」に〈蔑み〉の一瞥をくれた途端に全く〈倫理〉化され、それゆえに相対化されているのだ。「学生」たちは〈党派性〉によって「大学当局」や「機動隊」や「教授」に対峙し、また他の党派や「秩序派」や無関心な「一般学生」に対峙しているのだが、相手側への〈蔑み〉の視角はこの〈党派性〉から発生しながら、いってみれば〈党派性〉じしんの内実を純化し、それゆえに〈形式〉化することになってしまっている。しかもこのときはじめて相互の〈党派性〉は結晶化し、相対的に絶対化されていくのだ。

わたしたちはやっと『全共闘記』の文体の〈方法〉をさししめすところへやってきた。〈蔑み〉

の視角の基底にあるはずの〈対他的関係〉への意志。—それはどのようなラディクスに怯えているというのだろうか。

> 道徳的法則は純粋意志の唯一の規定根拠である。然しこの法則は単に形式的（即ち格率の形式を普遍的に立法的なものとして要求するだけ）であるから、規定根拠としての一切の実質を、従ってまた意欲の一切の対象を捨象する。最高善は常に純粋実践理性の、換言すれば純粋意志の全対象であるかも知れない。けれどもそれだからといって、最高善は意志の規定根拠だと考えらるべきではない。実に道徳的法則のみが、最高善とその実現若しくはその促進を目的とする根拠と見做されねばならない。この注意は、道徳的原理の規定という如き微妙な場合—つまり極めて些細な誤解でも人の心術を誤らしめる如き場合—には、大切な事である。何となれば、若し我々が道徳的法則に先立って何等かの対象を善の名の下に意志の規定根拠として認め且つ又これから最上の実践的原理を導来するならば、このことは常に他律を招致して道徳的原則を駆逐するに至るであろうということは、分析論に於て我々の既に知れるところだからである。
>
> ——カント『実践理性批判』（波多野精一・宮本和吉訳）第二篇第一章より——（傍点原文）

この思弁的な哲学者の論理は形式的であまり面白いものではないが、しかし埴谷雄高のように震撼するとまではいかないものの、あの『純粋理性批判』における「先験的弁証論」の「それはこう考えられる、またこうも考えられる、さらにまたこうも考えられる、ところでこれも誤り、それも誤り、あれも誤り。」（埴谷雄高「何故書くか」）という論理を展開した〈自我〉と〈世界〉と

〈神〉の理念の不可能性の証明の条りは、なおわたしたちに鮮明に訴えてくるなにものかをもっている。わたしなりに端言してみれば、カントは直感から離れて（＝「超験的」に）存立する普遍的な原理性をそこで全て否定したいのだ。もうすこしじぶんのことばで言い換えれば、それは「普遍的」と想われていることは各自の直感の内実を無制約性に祭りあげた恣意的なイデオロギーでしかなく、その価値は相対的でしかないのだということのように想われる。だから〈カント〉は、ここではまず〈相対性〉を表現している。

しかし、カントの意図は彼自身が〈先験的〉と認めうる認識と理念の原理を定立することにあったから、如何にして〈相対性〉から〈普遍性〉を論証するかが基本的でかつ究極的な課題となった。この課題への回答は非常に単純で、しかも深遠な方法によって用意された。つまり「形式的」であり、「一切の実質を、したがってまた意欲の一切の対象を捨象する」空虚な法則を意志の規定根拠とすることによって、である。

カントは実践的な理性を、この空虚な形式的法則＝道徳律に自己の意志を従わせるという倫理的な存在性に託した。いわば、行為の動機からあらゆる感性的内実を剥ぎ落とし、倫理性の〈輪郭〉のみを結晶化するところの、それは〈倫理的純化主義〉と呼ばれるべき〈方法〉なのである。わたしたちはここで〈カント〉を、だから空虚な〈絶対性〉とみなすことができる。

『全共闘記』の〈方法〉とわたしたちが想定してきたものの、それはこの〈倫理的純化主義〉に他ならない。〈蔑み〉の視角は、〈他者〉を党派的対立性として問い、人間性の問題として問い、世界観の問題として問い、それらの全体性として〈倫理〉的に究極まで追いつめていく。その極北にあらわれる〈他者〉とは何か、それは〈輪郭〉にまで純化された異和である。じぶんとは相容れず、しかもなおそこに圧倒的な牢固さで聳立する〈他者〉という〈形式〉なのだ。

わたしたちは〈他者〉を〈倫理〉的に問いつめて、その質料的なイメエジに〈死〉を宣告している。そのとき、まぎれもなく〈世界〉はあの〈絶対的な相対性〉の構造としてたちあらわれる。その〈世界〉像を求めることがわたしたちの〈対他的関係〉の意志、すなわち〈ニヒリズム〉の限界域であった。

さて、ほんとうの問題はこの限界域のさらなる向こうに存在している。たとえば、それでは〈不安〉はどこからやってくるのか、と〈死〉の世界の地角より憂鬱に問いかけながら。（了）

4 〈アンダー・グラウンド〉以降への一視角

序　〈構造〉とその死——浅田彰『構造と力』

わたしたちは一体どのように逃走できるというのだろう。もし、〈逃走〉という方法をたんなる戦術にとどまらず、既存の関係を組み換え、〈自由〉な表現へむかう志向性としてかんがえるとするならば、そのときわたしたちはどんな〈現在〉の地平に佇たされているのだろうか。浅田彰『構造と力』（勁草書房）、『逃走論』（筑摩書房）は、所謂〈構造主義／ポスト構造主義〉を一貫した視座からパラフレーズし、最終的にはドゥルーズ＝ガタリの構想に依拠するかたちで、わたしたちの〈現在〉における想像力の行く方を素描してみせる。

付け焼き刃的ではあるが、わたしたちにとって彼の指南がどこまで切実であり、どこから眉唾となるかを見定めるために、少しだけ彼の論理を切り抜いておきたい。

まず、そこでは、シニフィアン（意味するもの）とシニフィエ（意味されるもの）がシステマティックに対応して（といってもそれは恣意的な差異の体系にすぎないが）象徴秩序を構成しており、しかもその構造を解き明かすことで殆どすべての社会機制が説明可能になるという〈構造主義〉（その典型はレヴィ・ストロース）の世界観が批判される。

人間はサンス（意味＝方向）の〈過剰〉に見舞われており、過激に求め傷つけ合ってどこに走り出すかわからない欲動（狂える本能）を抱えてしまっている。（この〈過剰〉をめぐる論理を、浅田はジャック・ラカンの〈鏡像段階〉という精神分析的概念から説くがここでは省略する。）その欲動を封じ他者との安定した交通を展開するためにこそ、コード化（記号体系化）された象徴秩序（たとえば言語）が組成されるのである。いわば、〈構造〉は〈つねに—すでに〉その〈外部〉

とともに成立している。そして歴史は、この〈反〉コードの領域（＝カオス）が象徴秩序を侵犯し、再活性化する〈祝祭〉とコードを組みかえる〈革命〉との織りなす転形過程に他ならない。

だが、それは前近代までの話にすぎない。近代、すなわち資本主義社会は、象徴秩序が静態的に成立していた原始共同体（コード化）やそれが確固とした位階制を型造っていた古代専制国家（超コード化）と本質的に異なる機制をもっている。この社会においては〈貨幣〉をめぐる秩序が支配的なコードであるが、それは〈反〉コードの領域をも抱摂した体系なのである。

〈貨幣〉は超コード化された象徴秩序を解体させ、世界を均質化＝平準化する。全てはポテンシャルな相対的落差の問題となり、〈貨幣〉の無限の自己増殖運動＝〈資本〉がもたらす恒常的な不均衡がわたしたちを衝迫する。そこには異化すべき〈構造〉などもはや存在しない。世界はいつも一つの方向へむかって先へ先へと繰り延べられ続ける累積的な差異としてだけ現象するのであり、わたしたちはそこに強いられた自己投企（賭け）をしつづけねばならない。この機制においては、コードは日々脱コード化（但し一方向にむかうようにだけ制限された脱コード化）されている。つまり日常的な侵犯がつづいている。しかもその機制はわたしたちに内在化しているのだ。

わたしたちは既に、この先進的な社会哲学のなかに、いくつかの軽くない留保をおきながらも劇的な〈現在〉のヴィジョンを見出そうとしている。たとえば静態的なコード化のレヴェルを〈新劇〉の方法に、そして超コード化された象徴秩序とその外部による侵犯の弁証法を〈アンダー・グラウンド〉の方法にと、アナロガスに対応させることができると考える。

紙幅がないから単刀直入にいおう。わたしたちはいま万感を断ち切って〈アンダー・グラウンド〉の基底的な方法論の失効の託宣に頭を垂れようとしているのだ。

〈表象〉に対する〈深層〉、〈意識〉に対する〈無意識〉、〈近代〉に対する〈反近代〉、〈日常〉に対する〈反日常〉・・・それらのタームで呼びえた〈アンダー・グラウンド〉の構想はその〈可能性の中心〉に、既存の秩序を異化し裏返すことによって異貌にみちた関係を創出するという方法論をもっていた。勿論、それが一過性のカタルシスや既存体系の再活性化という〈祝祭〉レヴェルのパフォーマンスにとどまらなかったということは断言しうるし、こうした抽象を拒絶する多様な表現が錯綜していることも看て取れるのだが、それでもなお、既存の体系とそれを侵犯する異質な時間＝空間の創出という二項対立的な発想が基底に据えられていたことは疑いえないのだ。

けれどいま、〈アンダー・グラウンド〉はそのインパクトの喪失という危機に晒されている。それはなぜか。そうだ、わたしたちが高度な資本主義の運動性によって隘路づけられた脱コード化の機制（不均衡の強迫による断えざる落差の跳躍＝日常のなかの偽似的侵犯）を内在化させているからだ。そしてわたしたちの方法が、この疑似的侵犯の機制に〈死〉を与える構想を表現できないでいるからだ。

浅田彰は、象徴秩序に安住する者たちと、その秩序にバタイユ的な混沌の弁証法をもって侵犯しようとする者たちと、そして（制限された）脱コード化を内在化する者たちとを、すべてパラノ（偏執）型人間と規定し否定する。ドゥルーズ＝ガタリの構想する〈リゾーム〉（中心をもたず錯綜する地下茎のイメエジ）という多様な関係性のなかを、ブラウン運動のように駆け抜けつづける軽快な〈戯れ〉のひと、それをスキゾ（分裂）型人間と呼んで自分を擂り寄せる。

しかしそこが眉唾物なのだ。エクリチュール（書差・書かれ方）の問題としてしか表現しえないイメエジを、恰も生き方のスタイルのように装ってみせるとき、そこには極めつけの胡散臭さがたち昇ってくる。わたしたちの〈器官なき身体〉（ドゥルーズ）とは、「欲望であるのと同じくらい非欲望」な「実践の総体」であり、意味性と主体化作用をすべて脱色し蕩尽するテクストの〈死〉として幻視されるような砂漠である。だが、それはパラノ的な人間や構造やそれらの関係総体を避けていく「喜ばしき」戯れではなくて、むしろ方法を極北まで辿ることで想像力の〈虚無〉を仮構する表現としてあらわされるほかないものなのだ。

〈アンダー・グラウンド以降〉は、デリダのいう〈決定不能性〉の揺れを〈夢の遊眠社〉という構想で越境して以来、すでに隘路づけられた脱コード化の機制を〈死〉に至らしめる課題＝〈第三エロチカ〉に逢着している。ここからわたしたちはどこへも逃走しなくてよい。わたしたちはほんとうの砂漠に佇ちたいのだ。その砂漠は、あの〈クラインの壺〉の粉々になった死粒で満たされねばならない。それは〈リゾーム〉さえ繁茂することを許されない、凍てついた地平なのである。

一　〈夢の遊眠社〉

おそらくは〈アンダー・グラウンド〉の劇的想像力に過剰な可能性を幻視してしまい、それゆえにまた半ば朦朧とした失楽をくぐり抜けねばならなかったであろう世代のひとり、西堂行人は彼自身が主宰する批評誌『共創空間』（一六号・一九八四年三月）のなかで次のようにのべている。

野田秀樹の世界に表われてくるものは、ことごとく実体をもたない（というより実体から切り離された）記号の束であり、その記号が巧みに配列されていくことで、ある種の秩序をもち始めていく。この秩序とは、徹底的に野田の言語の力によるものであり、役者の肉体は、その言葉に軽みをつけたり浮力をあたえたりする為に動員されているにすぎないように見える。したがって、言葉は遊戯し、運動し、その軌跡がキャンバスを迷彩色豊かに染めあげていく。そういった言葉の束から生み出された世界は、一つの媒介物を境にして表と裏に通じ合わされる。これはまるでパズルのようだ。野田は身辺にころがっている事物を無作為に持ち上げ、その事物と事物のあいだに成立する関係の糸を強引に縒り合わせていく。これはきわめて高度な言語の遊戯だ。

（中略）

野田秀樹は全く恣意的につまみ上げたモノとモノとのあいだに関係の緒口を見い出せればいいのであって、事物をつまみ上げた指先の重力に目を注ぎこんでも、そこからはすでに野田自身は逃亡しているのだ。要は、その関係の糸がどれだけ上手に綾取りしているのか、以外にはないのだ。表層はあくまで表層であり、その運動の間（はざま）から深層は貌をのぞかせはしない。

（「アングラ・パラダイム《以後》Ⅱ」より）

ここで「深層」と呼ばれているのは、濃密な意味を湛えて現前させられてくる実体的な原質のことだと了解しておこう。西堂行人によれば野田秀樹の劇的世界はこの「深層」からやってくる〈意味〉と全く無縁な次元に展開される「一種のシミュレーションの世界」であると見做されている。そしてその点で野田の芝居は「演劇を〈アングラ・パラダイム〉から引き剥し、跳躍させることに与って力があった」のだとかんがえられている。

ところで西堂のいう〈アングラ・パラダイム〉とは何かといえば、それは「六〇年代後半以降の演劇の想像力の枠組」、すなわち「劇表現の創造過程から集団論、運動論に到る迄の演劇に対する構え方」であり、そしてそれらは「河原者」、「情念」、「狂気」、「肉体」、「負性」、「大衆」、「革命」、「祝祭」、「道化」、「見世物」・・・などといったタームで語られてきた方法的な根拠の謂であるけれども、ここで注目すべきなのはとくに、彼が〈アングラ・パラダイム〉を次のような『表層／深層』の二元論」へとひとまず還元してみようとする解読の仕方である。

唐十郎や鈴木正はいずれも、自己（八十の分身たち）の「負性」（＝前近代性）を逆手にとることで「近代」の病理や疎外状況を抉り出してみせた。それは元来具わっているはずの「本質」が、近代的な意匠の数々のうちに隠蔽され、しかもそれが何か（＝惨めさや充たされない心情）を手がかりに浮上し、つまりは「深層」が「表層」を喰い破って襲いかかるという方法論だったと言えよう。（従前）

このような還元的な視点からみれば、たしかにかれが批判する扇田昭彦の「華麗な表層そのものを切実な意味ある深層に転じ」ている点を評価する言説や、松岡和子の「一見表層的なことばたち」を「どうせならもっと軽やかにもっと浮き浮きと『深い意味』を伝えようとする仕掛け」とみる読解は、ここでいわれている〈アングラ・パラダイム〉内部の思考様式として必然的に退けられることになるだろう。

わたしがここまで長々と西堂行人の文脈にそって事情をみてきたのは、ほかでもなくこうした読解の視角が所謂〈ポスト・モダン〉的な言説の演劇版といった呈をなしているからである。西堂行人がいうとおり、これまでのところでは野田秀樹の芝居についての評言は〈アングラ・パラダイム〉の公式化版か、〈ポスト・アングラ〉という「新しい」ヴァージョンかの分水嶺をなしているのであり、「評者の立場性や思考の旧態性」をはかるリトマス試験紙の如き意味をもっているといえる。

いや、もうすこしわたしたちの本音をいえば、これら〈アングラ・パラダイム〉と〈ポスト・アングラ〉的評言は両者ともに擬制的な対立項の設定という「立場性」を示しているという意味で、自らをリトマス試験紙のように規定せざるを得ないのだ。

野田秀樹の繰り出す劇言語がつねに特定化・固着化されようとする〈意味〉の呪縛から逃走しつづけるように運動しているとみる視角はわたしのものでもある。しかし、野田の「逃走」はどのように為されているのか、それを少し分析的にみていくことがさしあたっての課題であるだろう。たとえばよく注目される野田の台詞のなかの掛詞についてもう一度見てみよう。

「もう、そうするしかない」⇕「妄想するしかない」
「身投げ」⇕「（真実の）実投げ」

これらの台詞は場面の意味性（意味という言葉にどうしても「深層」や「本質」の亡霊を視てしまう向きには指示性と考えてもらってよい）を転回させる項をなしていて、劇的時間を分節したり、空間性を転形させたりする役割を担っている。それは劇の〈意味〉へとむかうためのキィ・ワードなのでもなければ、たんなる「表層的な語呂合わせや駄洒落といった言葉遊び」（西堂行人）なのでもない。

野田はここで劇言語の指示表出性の象限をふたつ（＝ひとつともうひとつ）に分離しているのだ。「身投げ」も「（真実の）実投げ」もそれぞれの象限では有意義な言葉として表出されている。そしてそれぞれのコンテクストのなかでは前後の言葉たちと文法どおりに組成されていて、決して自由に〈戯れ〉ていたりはしない。勿論、ここで象限をふたつ（＝ひとつともうひとつ）設定しているといっても、それは「表層」と「深層」といった〈意味〉的な重みのちがいや、高度＝低度といった水準に支配されているのではない。はっきりいえば、これらふたつの（＝ひとつともうひとつ）の象限は文字どおり同一のパラダイム（特定のラングの文法上の格変化表）の地平に展開される劇言語域なのだ。「表層／深層」という二元論からの読解はこの象限に〈意味〉の軽重といういかがわしい差別化を持ち込み、「表層」の〈戯れ〉という読解はこのふたつ（＝ひとつともうひとつ）の言語域がそれぞれのコンテクトを追ってみれば、さほどの無理なくわが親密なるパラダイムに帰順していることを等閑に付している。

ことわっておかなければならないが、わたしが野田の劇言語域がその象限を差異化しているというとき、それは相互に異った特定の意味の筋道があらかじめふたつ敷かれているということを指しているのではない。いまここに分節された時空性の指示表出による台詞の言葉が有意味に科白されたと思いきや、あの転回項となる掛詞によって野田秀樹がそれとねじれの位置にあるべつの時空性の指示表出である台詞に乗り移るという演戯を成立させる機序にこそ着目したいがためなのだ。

役者野田秀樹が疾走しつづけるのは、ひとつの台詞をものした途端、その指示表出性が余剰な自己表出を招き寄せてしまうことから「逃走」しなければならないからだが、けれどこの「逃走」＝乗り換えが可能となるのは、あの転回項となる掛詞がいまひとつの時空性からその有意味性を受け容れられ、その時空性の指示表出の構成素としていわばちゃんとした台詞の文章へ編成されうるからである。いうまでもなく、それは野田の言葉がこのパラダイムの地平から逸脱しないように、注意深い検証の後に科白されているからなのだ。

野田秀樹の劇言語が、ひとつの指示表出性からもうひとつの別の指示表出性への乗り移りというエクリチュールに支えられていることは既にみたとおりだが、しかしもう一度この乗り移りを文字通り演戯している野田秀樹という役者の運動性にそくしてみていくと、そこにはきわめて「現在」的な劇的想像力の位相がたちあらわれてくるはずである。そのためには「逃走」しつづける野田の運動性にとってこれらの台詞の指示表出性が、どんな構造として現象してくるのかと借問してみよう。

かつてわたしは『小指の想い出』の劇評で、ある時空性の指示表出を〈妄想〉と、そしてもうひとつの時空性の指示表出を〈現実〉と名付けて、その領域を往き来する野田の演技に異和の揺れそのものであるような転形のさまをみせつけられたとのべた。むろん、この〈妄想〉に劇的構成を異化し尽くす混乱のイメエジや不在のものに魅入られた癇疾の如き飢渇が想い込まれているのではないと同様に、〈現実〉からの使徒たちの科白に秩序の論理が具象化されているのではない。もしそうだとすれば役者たる野田の運動性はおそらくあの形而上的な〈意味〉の懐へと回収されてしまうのだから。
これらの指示表出の象限はふたつ（＝ひとつともうひとつ）の仮構として同じ地表にひかれた文脈である。ひとつの仮構された時空性とその指示表出としての台詞は、もうひとつのそれへと瞬時に転回され、役者・野田秀樹はその間隙をおそろしくすばやく跳び越えつづけているが、その移動がなされうるのはこの相互に―というよりも前後に―対応させられる台詞の指示表出性が、たがいに等価なものとして生滅しているからである。

ここでわたしたちは「綾取り」されているこれらの等価な台詞たちの関係について、またもやあのマルクスの「価値形態論」へと想いを馳せてしまう。野田の繰り出し続ける言葉は掛詞を転回項として、次々にそれと等価な台詞へと変態を遂げていくが、その移動の軌跡はあの綾取りの線形模様のようにどれほど錯綜しようとも一対一の対応であり、かつまた己れの対応相手を無限に選択できる「自由」性に支えられている。この〈展開された価値形態〉というパラダイムのなかで、野田の演戯は〈使用価値〉としての台詞から、それと等価形態にあるもうひとつの言葉へと息もつかせず移動しているのだ。それはその移動のための転回項を探しだすという意味で「命がけの飛躍」であると同様に、この〈展開された価値形態〉が〈一般的な価値形態〉へと転化する暇を与えないという意味でも「命がけの飛躍」なのである。野田の劇言語が「表層」だけを疾走しつづけねばならない理由はここにある。つまり、舞台に展開された台詞の指示表出性たちに対して〈一般的等価物〉となるキイ・ワードが生成してしまわぬよう、そしてそれが更にはこの舞台を天上の神秘＝地下の深層で支えるところの、あの〈貨幣〉の如き万能の媒介物へと転化してしまわないよう、役者野田秀樹はつねに／すでにそこから逃走していなければならないのだ。野田の演戯のこの運動性が衰弱していくとき、おそらく彼は易々と〈アングラ・パラダイム〉か「死せる芸術＝新劇」（菅孝行）の新装版へと韜晦していくことになるとおもわれる。

わたしのかんがえによれば、野田秀樹の劇的想像力は紛れもなく〈アンダー・グラウンド〉の境位をしめしている。

「昭和三〇年生まれ」という彼のキャッチフレーズは、商業的なメディアの常套句である「新世代の新風俗」という宣伝文句からばかりでなく、〈アングラ・パラダイム〉が、つまり「深層」の表出によって既存の秩序を異化し、そこに異貌の時空性を現出せしめるという方法が、その効用（既存体系の活性化や柔軟な対応性・可塑性の源となるような）という側面と既存秩序のなかで蓄積されていくエントロピー的な負荷のカタルシスという側面の両方から、まるごと「超資本制」の象徴秩序に回収されてしまったその後にやってきたという意味でこそ注目に値するのだ。もちろんその後にやってきたということが、〈アングラ・パラダイム〉たちの轍から自由であるということを意味するのではない。しかし、過去という時空と方法との「風景」がわたしたちの想像力を少なくてもこれまでから押し出してしまうということ、いわばわたしたちは「母」にこそ背を押されるのだということはまったく不可避なことでもある。

また〈ポスト・アングラ〉という領域を仮定し、その領域から野田の想像力を考察すれば、たしかにかれの逃走は「深層」と呼ばれる実体的な原質やメタフィジカルな〈意味〉から自由であろうとする運動なのだと看做されうる。しかしさきにみたように野田の言葉は、つねに特定の指示表出性からべつの特定な指示表出性への移動をくりかえそうとも、決してそれらの指示表出を規定するこのパラダイムからは自由でないし、また自由になろうとしているのでもない。かれにとって意味（＝指示性）から逃れることはそれと等価な意味（＝指示性）にのりうつることだ。それは意味から自由になってコンテクストと〈戯れ〉ることなどではないし、シニフィエをもたないシニフィアンが「表層」を滑走しているなどというものでもない。形而上学的な〈意味〉を脱構築することと、時空の指示表出性として表出されることばを恣意的に解体・分裂させていくこととは全く相違する。

　くりかえすが、野田の劇言語が〈アングラ・パラダイム〉から自由なのは、ひとつの時空性の指示表出としてのことばとそれから移動して乗りかえたことばとが等価であり、この一対一の関係が無限に展開されうるからである。けれどもこのことは、Ａということばから Ｂ という意味にのりうつるということであって、決してＡという指示性がＢとかＣとかＤとかいう指示性として恣意的な意味に解読されていくということではない。端言するなら、野田はＡからＸへ、ＸからＹへと逃走しつづけるが、このときＸもＹも中味はなんであれかならずひとつのある意味性を宿しているのである。いいかえれば、そのＸ・Ｙは「使用価値」をもっていなければ「等価形態」たりえないということだ。ここに〈戯れ〉などという余地は全く成立していない。ただに「命がけの飛躍」があるばかりだ。こうして関係づけられたＡとＢの意味性は等価であり、しかもそれゆえに相互の本質たる「価値」がそこから現前しないよう次々にのりかえられていくことになるのだ。

　わたしたちは「妄想の一族」をめぐる時空性を解読しながら、アッという間に「現実」の使徒たちの時空性に転回させられる。また「現実」の使徒たちの時空性のなかでそのコンテクトを辿っていたと思いきや、エッと思う間に「現実」の世界に登場した「妄想の一族」の母たる役者・野田秀樹の科白に魅了される。こうした過程のなかで、わたしたちはどの世界が、どの場面が、どの科白が基軸となってこの芝居を構成しているのかが判断できなくなっていることに気づく。頓馬な「表層批評」派はここに〈戯れ〉という趣向をみつけて喜び、呑気な「アングラ解読」派はここに仕掛けられたアナグラムとその底に流れる「シリアスな鉱脈」(扇田昭彦)とやらを見出して満悦するという訳だ。しかし、この判断の困難さ、いわゆる〈決定不能性〉は、あくまでも劇言語の意味性が相対的に等価であり、しかもこの相対性＝等価性がこの舞台では絶対化されているということに起因しているのである。

野田秀樹の劇的想像力は、固有な台詞の意味とコンテクストを持続しながら、指示表出性の〈展開された価値形態〉の構造を創出していくことで〈ポスト・モダン〉(あるいは〈ポスト・アングラ〉)的な〈戯れ〉の志向と断絶し、それと同時に「深層」という〈意味〉の現前から絶えざる運動によって逃走しつづけ戯曲のモチーフを〈決定不能性〉に追い込むという方法で〈アングラ・パラダイム〉からも離脱している。その意味で、〈夢の遊眠社〉という構想は〈新劇〉とその地平をなす〈近代〉の象徴秩序体系を脱構築しようと志向する〈アンダー・グラウンド〉の方法が、どうしても辿りつかねばならなかった固有な境位をなしているようにおもわれる。

二 〈柄谷行人〉

どのような書差作用もこのパラダイムの地平から逸脱しえない。どのようにテクストを多義的で可変的なものと看做そうと、ことばが指示表出性によって成立するかぎり、それはこのパラダイムに帰順するものでしかない。

またひとつの表現が表現として成立するということじたいが、既にそのことばがこのパラダイムに包括されてしまっていることを意味している。だから、わたしたちが恣意的な言葉の組み替えやテクストの「自由」な解読によって可能と考えていることは、うまくいって既存の象徴体系に少しばかり気のきいたもうひとつの指示表出性を加えることにしかならない。

あるいは、ことばと〈戯れ〉るというとき、もしそれが既存の文法にもとづくシニフィアンとシニフィエの対応関係をずらしたり、混乱させたり、分裂させたりすることを意味するとしたら、そのときおそらくある時空性の指示表出性としての言葉ともうひとつの言葉との既存の関係は解体され、この二項対立は不可能となってしまうのだろうけれども、それは同時にある言葉に対応するもうひとつの項を解放することによって、これらの項のすべてを天上から吊り支え、地下から根拠づける第三項、つまり象徴体系の中心を無意識に前提していることになる。〈展開された価値形態〉が〈一般的価値形態〉へと変態するとき「リンネル」も「上衣」も「小麦」もおたがいの無粋な顔を見つづけることから解放されるが、それはとりもなおさず〈貨幣〉という狂おしい女神の姿を映しているからなのであるように。

このパラダイムに焦立ち、このパラダイムのなかでことばがひき寄せてしまう余剰な〈意味〉を忌避すべく逃走しようとするとき、わたしたちがとりうる方途はこれらのようにいつも〈脱コード〉化された象徴秩序体系に回収されていくよう隘路づけられている。どのように曰くありげな「深層」で脅してみても、どのように華麗な「表層」の疾走を披瀝してみても、わたしたちはこの象徴体系の〈外部〉にでることができない。さらには、たとえこのパラダイムを脱構築し、想像力の枠組を異質な地平に「チェンジ」したとしてもそのパラダイムが今度は「このパラダイム」としてたちあらわれるという、動態化されたメタ・パラダイムの機制が絶えずわたしたちを規定してくる。

ディコンストラクションとよばれるテクスト的戦略は、あるテクストの完結的な意味（構造）を支持してみせながら、同じテクストからそれと背反するような意味（構造）を引き出すことによって、「決定不能性」に追いこみ、解釈し囲いこむこと自体を無効化することである。いうまでもなく、それは〝形式化〟されれば、ゲーデルの証明以外の何ものでもない。滑稽なのは、そのような凡庸さではなく、あたかもそれをまぬかれるかのように思いこむことの凡庸さだ。

（柄谷行人「言語・数・貨幣」より）

ここで〝形式化〟と呼ばれているのは、現象学的な還元（形相的還元）によってことばやテクストの論理系を厳密に画定することをさしている。このようにして規定された論理の構造はこのパラダイムのうえにたつかぎり無矛盾なものとして存在させられるが、例の「クレタ人は皆嘘つきだとあるクレタ人が言った」というような自己言及的な命題を想定したとたんに、この無矛盾な体系は、

「決定不能性」を抱え込むことになるはずだというのだ。

ここで柄谷行人がとった方法は、ことばを恣意的に解釈したり分裂的な組成を想定したりして形而上学的な〈意味〉から逸脱しようとする方法ではなく、これと逆にことばの意味性（＝指示表出性）を形式的に画定し定義していくことでこの体系の完結性じしんを自爆させようとする方法だった。だが、彼じしんがこの論文のなかで述べているように、「自然言語を形式化、すなわち任意な記号に還元していったとしても、その記号形式の解釈ないし意味付けは自然言語によってなされるほかない、あるいは最終的なメタ言語はないというような循環を意味する」だけなのだ。このことをわたしなりにいいかえれば、先のクレタ人の命題は形式的に「決定不能性」へ追い込まれたときに、するりと〈自然〉的なことばに循環する。つまり、たとえ発語者がそのなかに包含されようとも、クレタ人がじぶんのことをそういっているのだから、たぶん連中はよく嘘をついたりするのだろう、と。それはわたしがよく「山形県人はセコい！」というのと大してかわらない日常言語のエンドクサのレヴェルで、経験的にあるいは大雑把に解釈されて、〝ダブル・バインド〟に支配されるとはかぎらないことを意味している。それはまさに「メビウスの帯」のようである。尤も、この循環を〈通過する〉（デリダ）ことはわたしたちの行方にとってけっして無意味というわけではない。つまり、たんにもとに戻っただけではない。なぜなら、ゲーテルの「不完全性定理」に依拠した柄谷行人の〝形式化〟という方法は、数学や記号論理学などに安定した客観的合理性を求めようとする形而上学、いわゆるロゴス中心主義に対する根柢的な批判として鋭利であると同時に、それに対抗して〈外部〉を安易に想定し象徴秩序を批判する言説に対するラジカルな方法的対照をなしているという点でこそ、極めて刮目すべき構想であるからだ。

だが、それにしてもわたしたちの象徴秩序は開放的であり、合理的かつ〈自然〉的であり、なによりもまず御都合主義的な抱擁力としたたかさで武装されているという訳だ。

自発性と構造的強制が対立としてでなく、あいまいにからまりあっている世界では、それらを対立させることこそ不自然である。べつのことばでいえば、作為と自然の二項対立こそ作為的である。おそらくそのような世界では、事態はいつも「成る」というかたちをとるだろう。

宣長のいうような自然＝生成は、制度あるいは構築を拒絶するかにみえて、それ自体独特の制度であり構築なのだ。（中略）日本の閉じられた言説体系のなかでは、どんな多様な散乱や無方向な生成があろうと、根底でそれらは安定的な均衡に到達する。この「自然」がおびやかされないかぎりにおいて、日本の言説体系（空間）は、外部に対して無制限に開かれている。

ポスト・モダンの思想家や文学者は、実はありもしない標的を撃とうとしているのであり、彼らの脱構築は、その意図がどうであろうと、日本の反構築的な構築に吸収され、奇妙に癒着してしまうほかない。

（柄谷行人「批評とポスト・モダン」より）

彼はこの論文を「われわれは『一人二役』としての《批評》を必要とする」と締めくくっている。それは一方で日本的「自然」という制度を撃ち、そして地方で形而上学の〈意味〉の秩序構築をディコンストラクトする表現の必要を説いていることに他ならないが、ここでは最早わたしたちに

〈アングラ・パラダイム〉も、〈テクスト的戦略〉も、〈戯れ〉も、そして〈形式化〉も信じられはしない。

日常的な脱コード化によって、つぎつぎに循環するこのパラダイム、そしてこのパラダイムの脱構築へむかう想像力をつねに〈自然〉という均衡に融和させていく象徴秩序体系──、わたしたちのむかう相手はひとまずそこに現われているが、まだわたしたちはそれにたちむかうべき何ものも掌にしていない。

三 〈第三エロチカ〉

野田秀樹の書差作用は、ひとつの時空性ともうひとつの時空性を等価な指示表出性として相対させ、この関係をつぎつぎに展開していくことで、どれが中心的な時空性であり、どの指示表出性がモチーフという自己表出の具象態であるのかを判断不能に導いていく。そこではいわば、〈意味〉はどれなのか、が決定不可能となるよう仕掛けられている。逆にいえば、それはそれぞれの時空性の指示表出としての台詞に役者・野田秀樹が留まるとき、あるいは観客たるわたしたちが特定のそれに想い入れをするとき、そこにはいつでも余剰な〈意味〉が浮上してくることを意味している。勿論、だからこそ野田は逃走しなければならないのだが、いまやこの逃走すなわち「命がけの飛躍」こそ日々脱コード化されていく「超資本制」のパラダイムの機制によって、あの「メビウスの帯」へと搦めとられていくのだ。

〈意味〉の外部へ、外部へ、という逃走はその〈意味〉を隔離していくことでじつは〈意味〉をこそ〈外部〉へと仕立てあげてしまうほかない。このとき、逃走は「クラインの壺」といわれる〈内部〉の運動性に密封されていく。そこでは〈意味〉も糞もなく、ただ一向に〈資本〉の自己増殖のみがもんだいなのだから。

いや、すでに〈外部〉というものを想定すること自体が擬制でしかありえない。〈外部〉とひとこと唱えただけで、わたしたちの想像力はメタ・パラダイムに吊し上げられてしまうか、〈内部〉と〈外部〉をさらに規定しているいっそう基層的な象徴秩序体系の存在を隠蔽してしまうだけである。いいかえれば〈外部〉といった瞬間にそれは〈内部〉へと抱摂されるのだ。だから、わたしたちの方法は、〈外部〉に出ることではなく、この〈内部〉からどこへも逃走せず、ここに留まり、〈内部〉に〈死〉を与える構想にこそ仮託されている。

川村毅の劇言語は時空性を転換させず、またその指示表出性からどんな意味でも逃走せず、ひとつの文脈性と方向性に固執しながらその〈意味〉を深甚な不安に陥し入れている。

川村の劇言語はむしろ〈意味性〉の聳立によって構造化されている。たとえば深浦加奈子の演じる「セクサロイドI」（『ニッポン・ウォーズ』）や「高輪のテス」（『ラディカル・パーティー』）はつねに／すでに〈記憶〉に呪われ、哀調を帯びたエロスを担っているし、有薗芳記はパラノイアックなテロルへの衝動を惜しげもなく突出させる。郷田和彦はいつでもその巨大な力を誇示しつつフランケンシュタインのように仁王だちしているし、石井浩二郎はなげやりなニヒリズムを、香取早月は冷酷なセクシャリティをきわめて緊迫しつつ体現している。そして宮島健はセコくてマジメな監督役を、川村毅はスケベで不マジメな黒幕をあきもせずくりかえし演じつづけているのだ。
ここに明白に看て取れるのは川村が、劇言語の〈意味性〉を凝結させ、さらには純化していこうとしている方法的な志向性である。それは有薗芳記の殆ど巫覡的な台詞に象徴的にあらわれる。

純粋テロルの夢が浮上する！

（『ラディカル・パーティー』より）

ここに石井聡互の『逆噴射家族』や『阿字阿の逆襲』に登場した有薗芳記の肉体を連想する必要はない。石井のテロルは暴力だが、川村のそれは観念だからだ。川村が「テロル」というとき、それは純粋化された観念の屹立性をしめしている。わたしのことばでいえばそれは〈輪郭〉化であり、〈形式〉化であるが、観念が結晶化され自立したとき、そのことばは〈意味〉の極限化によって既に〈意味〉を脱色しているのだ。それはむろん「テロル」というそれじたいが日常言語のレヴェルできわめて「過激」で、それゆえ安易でもある意味を伴ってしまう台詞だけのもんだいではない。
川村の芝居では登場人物たちがよく、棒を振ってあたりかまわず舞台を叩きちらしたり、すぐにあの駄菓子屋で売っているような火薬入りピストルをバンバンやたらに鳴らしたりする場面がでてくる。登場人物は閉塞的な舞台空間―たとえば『チャイルド・オンリー』では〈教室〉であり、『ラディカル・パーティー』では〈男娼窟〉でありそれと地続きな〈新宿〉だが―で極度にいらだち、鬱積した憎悪をもてあましているように描かれているので、それらの一見「過激」さを仮装した演戯は恰かも錯乱する反逆的なエネルギーのように指示表出されている。

しかし、それらは端的にいって信じられていない。演戯としての〈意味〉が川村によってもわたしたち観客によっても脱色されている。むろんリアルでないという謂ではない。ことばの〈意味〉が尖鋭化され屹立することによってアレゴリーが脱色されるこの世界ではじめて、それらの形相は逆に極めて固別的になるのだ。だから郷田和彦演じるズボンをはいたままのトラビスがズボンをはいたままの有薗芳記の演じる北青彦へ暴力的なファックを強制する（『ラディカル・パーティー』）とき、わたしたちはけっしてあの「呪われた部分」からの衝迫に怯えているのではなくて、枯れ果てた〈意味〉の凍結した形相を感受しているのだ。ここでは最早役者の身体性はその固有な相貌のままで、なお観念そのものの超意味的なかつ固有な表象である。

川村の劇言語において個々に分節化される演戯や台詞がこうしたことば＝観念の純粋化をつきすすんでいく一方で、劇言語の文脈性はこれと全く異った方向へむかっている。先に『ニッポン・ウォーズ』の劇評で述べたとおり、川村の展開するコンテクストはあの「自己言及性」という仕掛けを孕んでいる。登場人物の「記憶」も「悲恋」も「叛乱」もすべてはプログラムされたシミュレーションであることが露呈されるのだが、このことはひとつの行為、ひとつの場面がたんなるシミュレーションであったと種明かしされたあとの登場人物たちの悲憤や更なる反抗へと次々に重畳されていくために、ついにはこの〝プログラムされている〟という事態そのものにも〝シミュレーション〟という醒めた視角が及ぼされていくのだ。

たとえば『ニッポン・ウォーズ』の将軍や、『ラディカル・パーティー』の男娼窟のオーナーとして登場し、兵士や男娼たちをシミュレートする川村毅は、ちょうど脱コード化された象徴秩序を支える中心＝第三項であるかのような役周りを果たしているが、彼はいつも表象として登場する人物に殺されたり、見捨てられたりする。いや、そもそも川村は不マジメな狂言回しにすぎず、しかも兵士や男娼たちと同一の地平に登場し等価な存在としてしか規定されていないため、わたしたちは彼さえもシミュレーションの一対象なのだと看做さざるをえないのだ。このことは当然芝居じたいのパラダイムに及ぶ。つまり、わたしたちはなにがシミュレーションでなにがそれを支配する中心なのか「決定不可能」に直面する。

芝居はいつも〈純粋テロル〉と化した表象たちが〈外部〉へ越境しようとするところで不分明な終末を与えられ、その〈外部〉とは「ニッポン」という戦場であったり、映画撮影の現場としての「新宿」の街路であったりするが、わたしたちにはそんな〈外部〉などとっくの昔に信じられていない。しかし、それは〈第三エロチカ〉の舞台に設定された世界がシミュレーションであり、その〈外部〉もシミュレーションの地平であるという白けた認識と同時に、なおそれをのりこえてそこに成立している舞台と観客との構造と、更には構造を規定する「超資本制」のパラダイムへと連鎖的に波及していく。ここではかつての〈アングラ・パラダイム〉のように舞台と観客の相互規定性や相互の侵犯が毫も信じられておらず、舞台はそれじたいとしては自閉的に回転する小世界であるに過ぎないというのに、否それだからこそ、この構造、このパラダイムをこそ「決定不能」な〈不安〉へとさし下すのだ。そこには〈外部〉が想定されえないがゆえ、わたしたちの〈不安〉はいつまでも不安であり、しかも全体的なものとなるほかかない。

こうして〈第三エロチカ〉という構想は不安なる〈不安〉へと深くこのパラダイムを陥し入れるのだが、あえていえばそれとて既に更なる象徴秩序体系に抱摂されるものでしかないかもしれない。

いや、〈第三エロチカ〉の舞台に〈アングラ〉的なラジカリズムを読み解って満悦する者の方が多いといえばそれまでだ。

しかし〈第三エロチカ〉が〈アンダー・グラウンド以降〉に対して提出した方法の問題があるとすれば、それは寧ろ「自己言及性」というテクスト論の領域ではなく、あの自立した〈意味性〉にこそあるようにおもわれる。いくども言うように、川村のことばは〈意味〉を極北まで純化している。台詞はまったくこのパラダイムに依拠して組成されているというのに、それ自体として屹立し、この象徴秩序から付与される意味を脱色し、パラダイムを突き抜けようとしている。それはどんな意志によって表出されているのか。

川村の劇言語は台詞じたいとしてその〈意味〉を純化しえているのではない。それはあくまで役者の身体性つまり固有性に憑依してはじめて結晶化されうるものである。

役者はもうあらゆる意味で常にまっさらでいかないといけない、そういうことを要求してしまうよね。だから、演技の記憶を自分の中に少しでも持っちゃダメなわけよ。身体的な記憶を。よくいうけどさ、絶えず自分を疑ってほしい、何かを持つ、つかんじゃうとそこでもうだめ。

(西堂行人との対談より川村毅の発言)

〈第三エロチカ〉という構想のなかで役者たちの身体性はいわば〝まっさら〟な固有性として、すなわち絶対的な輪郭として聳立している。彼らの身体は川村の劇言語の観念そのものであり、〈意味〉に憑かれ、さらにはそれをまっさらに漂白しかえす形式である。かれらの身体はそこで、はじめて文字どおり〈自立〉する。それはシミュレーションという時間=空間をつき抜けて、わたしたちの眼前にたち現われている。けっしてこのことをかつての〈特権的肉体〉と見紛ってはならない。

なぜなら、そこに現われた役者の身体は内実をもたない固有性だからだ。しかもこの固有性は形式化されているために、等価なそれとして互いに相対的であり、この相対性はそれが内実をもたないがゆえに絶対的である。いや、逆にいうべきかもしれない。わたしたちはじぶんの身体の固有性を、絶対的に相対化することではじめてこのパラダイムのうえに〈自立〉するのだと。それをわたしたちは、誤解を虞れずに、ことばと身体の固有な〈イデオロギー〉性と呼ぶだろう。

日々脱コード化される「超資本制」と、制度としての「日本的自然」に対してたちむかう「一人二役」の根拠に、わたしたちは〈イデオロギー〉という形式、つまり絶対的な相対性を見出すことができるばかりだ。勿論、それを対自化しうるのはあの徹底的な「観念批判」(笠井潔『テロルの現象学』)を経たのちに、であるけれども。

5　真壁仁論　―「進歩的地方文化人」の一典型としての―

一　〈真壁仁〉との邂逅

エストラゴン・初手から明言するが、ぼくらにとって〈真壁仁〉はとうてい肯定的に評価できる人物ではない。だが、ぼくらがそのように思うのには、ぼくらに固有な訳があるからだ。それがぼくらだけが抱く特殊な想いなのか、それとも幾許か普遍的な妥当性をもつものなのか、そのことについてなるべく複眼的に話せるように、きみにまた相手を頼みたい。

ウラジミール・デデー。きみが本誌『真壁仁研究』第三号で、詩に関連して真壁について批判的に述べた短い論評「真壁仁・その〈夜〉の顔」は、案の定ほとんどの読者に無視されたようだね。

エス・でもひとつだけ反響があったよ。吉田コト（注1）から、『真壁仁研究』掲載文のなかで読むに値するのはあんたの文章だけだというエールをもらったんだ。これにはちょっと驚いた。吉田は戦前に松田甚次郎や真壁と「山形賢治の会」（後に「宮沢賢治研究会」）を立ち上げ、戦後も永く親交をもっていた人物だろう。その人が、一度も言葉を交わしたことのないぼくの、しかもずいぶんと一方的にみえる紋切り型の批判を支持してくれたわけだから。

ウラ・吉田は真壁を「戦友」だと言っているね。戦友であればこそ、人々に持ち上げられる〈真壁仁〉が虚像であることを見抜いているのだろう。

エス・さて、ぼくらが、いつ、どのようにしてその〈真壁仁〉という問題と邂逅したか、そこから話し始めようと思う。

秋田県生まれのぼくは、一九七六年に山形大学人文学部に入学し、〝すぐ隣の異国〟である山形で一人暮らしを始めた。三年生からは政治思想史のゼミに入り、その担当だった和田守（当時教養部助教授、本論執筆時は大東文化大学学長。故人。）の下で、たぶん七九年の夏ごろ、教養部の教官たちが文部省の科研費を得て行っていた共同研究（「『地方の復権』をめぐる政治的・経済的・社会的・文化的諸問題についての総合的研究」）の手伝いをした。まぁ、手伝いといってもアルバイトで、和田が発掘・収集（借用）した大量の資料のコピー作業をしたくらいなのだが。

狭い印刷室のなかで汗を拭きながら古い資料の山を黙々とコピーしていく単純作業で頭は次第に真っ白けになっていったが、そのとき突然ある雑誌の目次が目に飛び込んできた。それが、山形縣町村長会発行の「山形縣自治」昭和一六年新年号（資料A）だった。

ウラ・この目次はたしかに向こうから目に飛び込んでくるね。「新体制運動」、「隣組」、「大政翼賛会」・・・テキストでしか見たことのない歴史が、じぶんと地続きなものとして迫ってくる。そして、そこに名を連ねて真壁仁の「新春随筆」（資料B）がある。

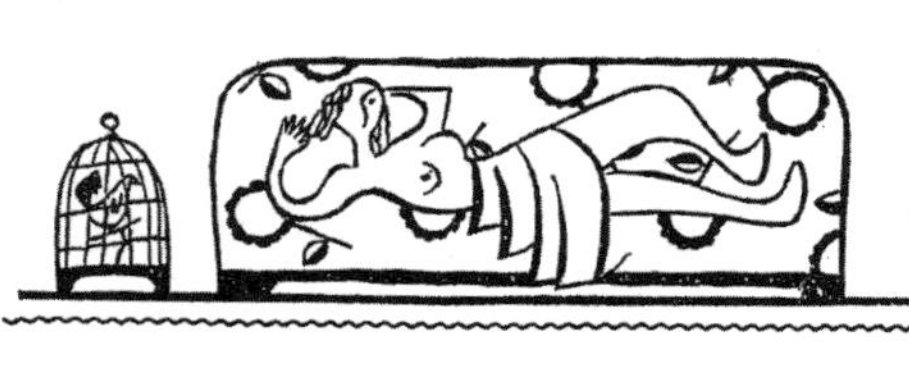

山形縣自治 第十八巻第一號 目次

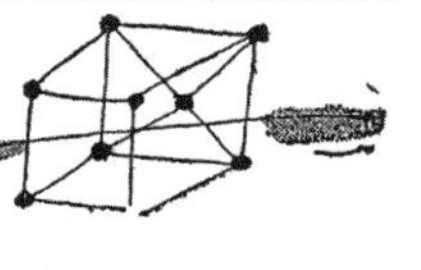

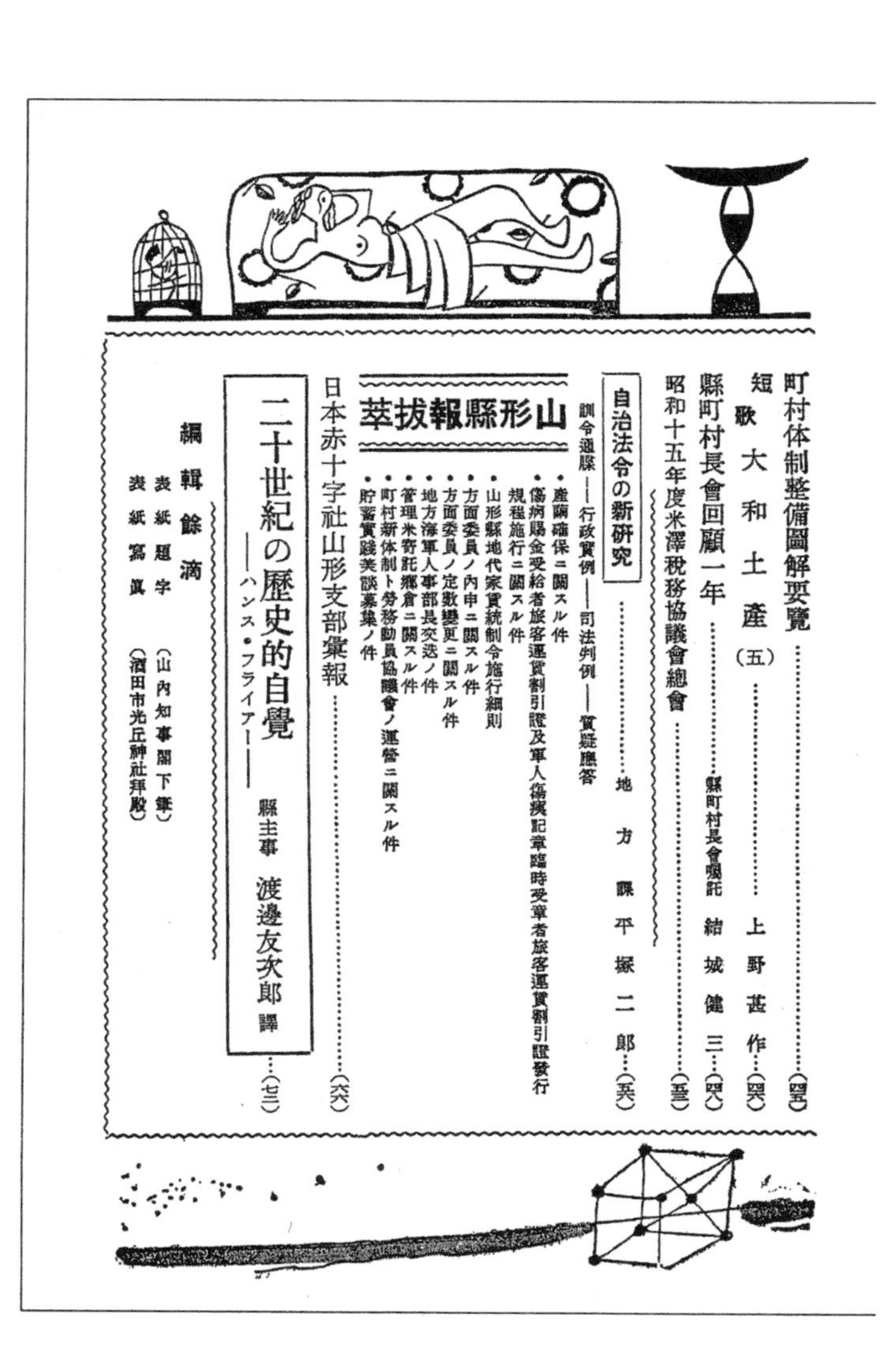

町村体制整備圖解要覽……（四七）

短歌 大和土産（五）……上野甚作…（四八）

縣町村長會回顧一年……縣町村長會囑託 結城健三…（四八）

昭和十五年度米澤稅務協議會總會……（五三）

自治法令の新研究
訓令通牒――行政實例――司法判例――質疑應答……地方課 平塚二郎…（五六）

山形縣報拔萃
・産繭確保ニ關スル件
・傷病賜金受給者旅客運賃割引證及軍人傷痍記章臨時受章者旅客運賃割引證發行規程施行ニ關スル件
・山形縣地代家賃統制令施行細則
・方面委員ノ内申ニ關スル件
・方面委員ノ定數變更ニ關スル件
・地方海軍人事部長交迭ノ件
・管理米寄託郷倉ニ關スル件
・町村新体制ト勞務動員協議會ノ運營ニ關スル件
・貯蓄實践美談募集ノ件

日本赤十字社山形支部彙報……（六八）

二十世紀の歴史的自覺
――ハンス・フライアー――
縣主事 渡邊友次郎 譯…（七三）

編輯餘滴
表紙題字（山内知事閣下筆）
表紙寫眞（酒田市光丘神社拜殿）

（資料B）「新春随想」真壁　仁

地方文化、農村文化の現状を考えると、非文化的なマイナス面が多く、それを担当する農村青年の質というものも憂なくして考え得ないが、実際は、農村がいちばん健実な文化の揺籃であり地盤でなければならないと思う。文化の創造または形成について農村の持っている可能力を私は信じている。差しあたり、荘内の黒川能の存在の状況などを思うと、私は農村の持つ独自の民族的資質が希望をもって考えられて来る。健全な文化というのは、国民生活と密接に結びついた生産社会の文化のことで、それは生活の中に帰納して生産のエネルギーと変り、逆にまたそこからより高い文化を形成する条件が生まれるという相互関係をもつものであろう。それは凡ての人に文化への志向を認め、文化的能才を信ずるところから出発するものであるから、謂うところの国民文化というものの基本的方向に外ならないのだ。

新体制下の文化はもとより新しい理念と、新しい形態を備えたものでなければならないが、既存の文化でも、立派に存在意義のあるものがある訳だから、そういうものは本当に尊重してゆきたい。黒川能のような立派な芸能は、県民がもっともっと鑑賞し研究し、学んでゆかなければならないのに、華かな都会文化だけを文化であると考えていた故か、これを知る人の少ないのにむしろ驚く。

（中略）

黒川能のもっている芸術的な価値に就てはここに言わないが、それがどんなに村の生活に立脚し、又村民の信仰と結ばれたものであるかという事は、ぜひ知ってもらいたいところだ。

黒川能を見ると、村民のすべてが文化的資質を持ち、健全な美意識を備えている状態が判る。ひとり黒川村のみならず全日本の農民が、良き指導さえあれば、文化の或る段階に達することが出来るだろう。是までは只機会に恵まれず、又指導者を欠いていた。こんどはその点で新しき出発の条件が用意されるように思う。上から呼びかける力と、下から盛り上がる力が一体となって、正しき農村文化が生れて行くことを、私は新春の最大の願望とするからだ。

ウラ・ところで、この機関紙は町村長会の事務局が編集していた。当時、それは県庁の地方課にあって、県職員が「町村長会嘱託」という立場で兼職していたようだね。おそらく編集者は、この目次にも寄稿者として名前が出ている県職員の結城健三、つまり、戦後の山形で歌人として名が知られるようになった歌誌「えにしだ」の主宰者だ。

最後にある「二十世紀の歴史的自覚」という論文も興味深い。ハンス・フライヤーという社会哲学者の、ナチズムを歴史思想の面から理論付けるような論文（注2）を、山形縣庁職員の渡邊主事が自ら訳している。山形縣の地方官僚が如何に新体制運動に入れ込んだかが見て取れるというものだろう。

エス・この「新春随想」で真壁は、芸術としての黒川能を高く評価して、「芸術というものが信仰と実生活とぴったり隙もなく一体化している」と語る。そこで、「全日本の農民」が、「良き指導さえあれば」こういう文化の「段階」に達することができるとし、さて、ここがとくに問題なのだが、「こんどはその点で新しき出発の条件が用意されるように思う。上から呼びかける力と、下から盛り上がる力が一体となって、正しき農村文化が生まれていくことを、私は新春の最大の願望とするものだ」と述べている。

ウラ・「山形縣自治」昭和一六年新年号の目次からこの雑誌の編集方針を見れば、ここでいう「こんどは」とは翼賛体制のことだと受け取らないわけにはいかない。これを額面どおり受け取るとすれば、真壁は翼賛体制のなかでこそ真の農民芸術が実現すると考えていたわけだ。デデー。真壁が私淑した高村光太郎には褒められるかもしれないが、同じ真壁が理想としていた宮沢賢治が見たらなんというだろうね。この内容を、「転向」という視角から考察する必要もあるが、それはちょっと後回しにして、で、きみはこの〝邂逅〟をどう受け取った訳だい?

エス・ぼくはまだ若かったし、真壁という人物に興味もなかったから、そのときの印象は至極単純なもので、「戦後の真壁仁はいかにも進歩的文化人のように振舞っているが、翼賛体制に自分の美的価値を仮託していたこともあったのか。こういう過去を隠して進歩派然としているなんて偽善者じゃないか」というような程度だった。

ウラ・とは言うものの、なぜきみの眼は単純作業の中でそのページに真壁の名を見つけ出したのだろう。山形県出身者なら、そこいら中に書き散らかされている小中学校の校歌や、「峠」など教材として取り上げられる彼の詩作品を通じて真壁について知っていたということもあるだろうが、他県出身のきみの視覚がどうしてそこに反応したのかな。

エス・ひとつは、吉本隆明の「転向論」や『共同幻想論』を読んで目から鱗が落ちるような経験をしたり、和田ゼミで読んでいた藤田省三『天皇制国家の支配原理』の論理的膂力に電撃的な刺激を受けたりして、天皇制国家について自分なりに考えるようになっていたことがあるような気がする。でもそれ以上に、大学で山形出身の先輩と文学や思想の話をするなかで、やはり当時の山形の文化状況や政治状況を意識するようになっていたからだと思うな。

ウラ・では、山形ではそのころ何が起きていたのか。きみの〝邂逅〟が七九年だというので、じつはそのあたりの事情を調べてみた。山形新聞社の『山形県年鑑』を引きながらその頃の出来事を思い出してみると・・・

きみが大学に入学した七六年には、「主任制度反対」で、真壁が戦後すぐから晩年まで同伴した教組がストを打っている。同年七月には、あの「蔵王県境問題」（注３）で原告の北都観光がいったん訴訟を取り下げ、山形と宮城の県境は自治省の裁定に持ち込まれる。一〇月には酒田大火。ちなみに、この年の冬にはまだ出稼ぎ者が三万二千人もいた。（この年、ロッキード事件で田中角栄逮捕。北海道庁爆破事件。）

七七年六月には、山形新聞社の「紅花の道を探る」取材班（真壁仁参加）がドイツ、アフガニスタン、エジプトへ出発し、九月には同社の服部敬雄社長が日本新聞協会「新聞協会賞」経営・業務部門賞を受賞。その山形新聞・山形交通グループは山形花笠祭りコンクールを開催し、パレードの主役となっていた。読売新聞山形版の過去記事リストをみると、一〇月には「山形・新人国記」という企画シリーズ記事で、真壁仁が立派な人物として取り上げられている。（この年、円高不況。日本赤軍ハイジャック事件。中国共産党文革終結宣言、四つの近代化へ。）

七八年、成田空港開港。開港阻止にむけ、山形からも学生や労働者が闘争に参加していたため、山形市内でも夜は頻繁に職務質問を受けた。管制塔占拠事件における火傷が原因で、闘病の末に山大生が一人亡くなっている。その他、行政処分濫用のケースとして「法学セミナー」の判例百選にも採択された「余目トルコ訴訟」で県が敗訴している。（この年、有事法制研究本格化、日米防衛協力のガイドライン決定。日中平和条約調印。）
そして七九年、イラン革命でホメイニ政権成立とそれに起因する第二次オイルショック。これは八〇年以降の大学生の就職を直撃した。ぼくらは中卒時にドルショック、高卒時に中東戦争による第一次オイルショックを経験してきた世代だが、ここでまた、与り知らぬ遠い砂漠の国の革命で自分が影響を受けるという状況に直面した。（元号法制化。国公立大共通一次試験開始。）

エス・記憶がだいぶあやふやだが、ケツの青かった当時のじぶんは、そのころの山形の状況と真壁についてこんなイメージを描いていたと思う。

山形新聞・山形交通グループの総帥である服部敬雄がその大きな権勢から「山形天皇」と呼ばれ、「服部知事、板垣総務部長、金澤総務課長」などと陰口を叩かれていた時代だ。政治・経済界のドンである服部「天皇」や自民党出身の板垣県知事と社会党や共産党が支援する金澤山形市長が蜜月を続けていた。「蔵王県境問題」に表象されるように、この山形の地には、まるで映画の世界みたいに一部勢力による支配が貫徹している。しかも対抗勢力となるべき革新派も、じつはこの勢力の補完物に過ぎない。この街には欺瞞と逼塞しかない・・・などとね。（苦笑）

それから、真壁について先の言い方をもう少し肉付けするとすれば、戦後、教組を始めとするいわゆる「革新勢力」サイドに自らを置き、また「野」という在野または非体制派の精神を体現するような存在を演じてきたはずなのに、彼自身がことあるごとに批判してきた「独占資本」の地域版そのものであるような「山形天皇」の傘下にやすやすと回収され、紅花調査団などという外遊の餌に飛びつき、文化人然として泳ぐさまを見せられて、ただに唾棄すべき対象だと看做していたのではなかったかと思う。

ウラ・あのころ、ぼくらはじぶんの将来について何の展望ももっていなかった。ただひたすら息苦しいこの街を出て、もっと自分の道を切り拓ける土地に行こうと足掻いていた。それが、あれから三〇年もこの地に棲みつき、根を生やすことになるなんてな・・・ゴゴー。

言ってみれば〈真壁仁〉という存在は、この糞みたいな山形の状況の象徴だったんだよ。ひとびとに慕われ、自立した精神として己の旗を立て、実践運動のリーダーとして活躍しているかのように見えても、所詮はなぁなぁの関係と狡知でうまく時代を泳ぎ地域支配層のメインストリームに乗っていく。この真壁的な擬制と対峙して生きていくということが、ぼくたち異邦人がこのゲマインシャフトリッヒな土地でゲゼルシャフトリッヒな生き方を貫くということだったんだ。

二　転向の真壁的形態について

エス・まぁ、まぁ、まぁ・・・二〇歳そこそこならそんなふうにひとり気色ばんだ言い草も許されるだろうが、ぼくらはもう三〇年もの間この街で暮らし、いろんな意味でこの街の人々に育てられてもきたんだ。くそ山形め、くそ山形め・・・と吐き捨てながらもこの街への愛着のなかで生きてきたし、実のところ少なからず恩恵も受けてきた。それに、この歳になればぼくらだって澱みや垢にまみれているのでもある。きみだって今の山形新聞社には足を向けて寝られないだろう。（笑）だから残された紙幅では、一九七〇年代の真壁仁から離れ、もういちど戦前の真壁に戻って、彼の「転向」がどんなことを語りかけてくるか、それを少し冷静に考えていこうと思う。

ウラ・いや、であるとするならはっきり言わなくてはならないが、ぼくらは戦前の真壁の転向を指弾するのではない。また、戦後の真壁が転向の自己総括なしに素早い変わり身で進歩派の旗手として振舞ったことを批判したいのでもない。それどころか晩年のなし崩し的な再転向（?）を問い詰めようとも思わない。極端に言えば真壁仁個人はどうでもいい。問題は、このぼくらの風土が、こういう凡庸な、即ちあまりに〈典型的〉な思想遍歴をもつ人物を時代の旗手として持て囃し、しかも一部の人々が未だにこのような人物像・思想像をもっぱら肯定的に評価しようとしているということなんだ。

エス・若い真壁は農民としての立場から社会構造の矛盾に目を向け、アナーキズムやマルキシズムの影響を受けた。「馬鈴薯階級宣言」という無産者運動的な演説をして特高に眼を付けられたり、全国農民組合山形県連合会の傘下で地元の山形市宮町にも農民組合を組織して地主に押しかけたりしていた。その真壁が、最初に警察に拘束されたのは昭和七年、二五歳のときだ。

左藤治助、斎藤たきち編纂による真壁仁の年譜（『真壁仁研究』第一号掲載）には、逮捕後の日記がこう抜粋されている。

怒りと心配をかくしきれない祖父、父。困惑し狂気せんばかりの母。泣きだしそうな憂いに包まれている妻、妹。（中略）この愛情を裏切るのはふかいふかい罪だ。何はあれ、みんなを安心させなければならないと思う。単なるヒロイズムは、自分の期している〝振幅のある人生〟の道ではない。

ここには転向の心象がストレートによく描かれている。自分に言い聞かせる真壁の息遣いが聴こえてきそうだ。こういう関係の場所と、こういう自分の救い方がとても他人事には思えないよ。（苦笑）だが、ここでは個人的な親和感をカッコに括って、敢えて次の点に注目しておく必要があるだろう。

ひとつは、真壁はこのとき、一度警察に拘束されただけで、すぐさまそれまでの社会的な事象に対する言説の志向性を放棄した。それは家族に心配や迷惑をかけないためだった。この家族というやつは、じつはもっとも現実的で重い課題だ。だが、これを逆に考えると、山形という狭い街でこれまでのような言動をしていれば、警察の弾圧を受け、家族にも累が及ぶことは予測できたはずなんだ。ほんとうにこうした事態への心の準備ができていなかったのかと訝しい。それに、「振幅のある人生」という、ある意味で言い得て妙なことばで内面がかくも容易くリセットされるのは、なにかとても功利的な感じがする。

ウラ・結局、真壁にとって思想とは、自らの血と肉を満たしているゲマインシャフトリッヒな何ものかと葛藤しながら形成されるものではなかったということではないか。ゴゴー、この疑いは、戦後の真壁についての視角をこそ規定してくる。

エス・そしてふたつには、このとき彼がそれまでの言説を自らの内面で「単なるヒロイズム」と規定したということだ。都市インテリが抱く理念としてのアナーキズムや前衛思想としてのマルキシズムならそうだとも言えるだろうが、そもそも「街の百姓」はそんな場所から書かれたものではなかったはずだ。

昭和五年には繭価・米価の暴落で農村は深刻な不況に陥っていた。当時、山形県内陸部の農民運動は、繰り返される弾圧に耐えながら全農県連が中心となり果敢に闘われていた。しかし、昭和六年から七年にかけ、小作人から土地を取り上げようとした地主宅に全農組合員が押しかけ警察と衝突した「小田島事件」や「借金棒引闘争」などに対する警察の大規模検挙及び拷問とその後の転向工作によって、全農山形県連と農民運動は急速に衰退していく。（注４）

これらの農民運動には山形高等学校の卒業生や退学者などインテリのオルガナイザーも加入し、いわば階級闘争として行われていた側面もあるが、農民自身による農民運動が「単なるヒロイズム」というほど大衆の生活実態から乖離したものだったのかどうか。少なくとも、もし真壁の思索がほんとうに現実の農民や農村の実態に即して練られていたなら、生活現実をどう打開するかという問題に向き合うことそれ自体が「単なるヒロイズム」と括られることはありえない。

いや、むしろこのことも逆にこう問うべきかもしれない。戦前の農民運動が「単なるヒロイズム」だとして、では、戦後の真壁が深く関与した反基地闘争や反安保闘争はどうして「単なるヒロイズム」を免れているといえるのか。

さて、こうした問いは、真壁の転向が、否、戦後をも含む真壁の思想全体が、よく考え練られたものではないのではないか、もっと高尚に言えば、対自的な倫理性をまるごと欠落させているのではないかという疑念を呼び寄せる。

ウラ・転向についての吉本隆明の有名な定義を思い起こそう。彼は、転向とは「日本の近代社会の構造を、総体のヴィジョンとしてつかまえそこなったために、インテリゲンチャの間におこった思考変換」だとし、「日本の社会の劣悪な条件にたいする思想的な妥協、屈服、屈折のほかに、優性遺伝の総体である伝統に対する思想的無関心と屈服」をその核心とみる。

そして、日本社会の構造は、インテリが身につけた社会科学的方法では分析できるのに、「生活者または、自己投入的な実行者の観点からは、統一された総体を把むことがきわめて難しい」、「分析的には近代的な因子と封建的な因子の結合のようにおもわれる社会が、生活者や実行者の観念には、はじめもないおわりもない錯綜した因子の併存となってあらわれる」とし、転向はこのヴィジョンの「誤差の甚だしさと異質さが、インテリゲンチャの自己意識にあたえた錯乱にもとづいている」という。（注5）

さて、ここで、転向はあくまでインテリのものとして考えられていることに留意しておこう。

エス・転向といえば外せない文献である『共同研究・転向』下巻の「転向思想史上の人びと」には、この共同研究グループが転向という観点から研究する必要があるとする人物の略歴約二三〇人分が収録されている。（注6）しかし、この各人に関するサマリーを読んで、これはたしかに農民だと看做せそうな人物は（上巻に「農民文学者」として研究論文が収録されている島木健作を含め）ただの一人もいない。農民運動も過酷に弾圧されたし、当然、真壁のように転向した者も少なくなかっただろう。これらの研究者は農民層の活動家や表現者には転向について敢えて取り上げるべき人物はいないと看做しているかのようだ。

ちなみに、ここに略歴が掲載されている山形県出身者は、国分一太郎、斎藤茂吉、菅井準一（科学史）、大熊信行、小倉金之助（数学）、高山育夫（歴史哲学・京都学派）、船山真一（哲学）と七名もいるが、ローカルな存在である真壁の名はない。

さて、真壁は少なくともこの時期までは農民として吉本の言う〈大衆の原像〉の世界に身を置いて生きていた。そして、身の周りに農民運動とそれへの激しい弾圧や分断が行われていることも見ていたはずだ。だから、吉本が作り上げたような、要するにインテリが、自分が見下していた現実の世間の強固さや豊穣さに足元を掬われたんだという転向像で真壁を捉えることはできないし、大衆からの孤立という意味合いも若き真壁には当てはまらない。

ウラ・吉本が「転向論」の中で評価している中野重治の「村の家」の主人公は、高等学校を出て（あるいは中退して）作家になっている人物であり、ようするにインテリだね。中野自身も大蔵省専売局の役人の息子で東大卒。この小説は、逮捕され、筆を折ることを約束して保釈されたエリート・インテリが、その転向を批判し転向するぐらいなら筆を捨てろと言う父親と内面で対峙しつつ自らの思想を鍛えていくというお話なんだ。これはあくまで〈東京〉の話だよ。（注7）

若き真壁は大衆のひとりとして農民の暮らしを生きつつ、文学と改革の思想に染まり、権力の弾圧を受け、家族への想いからその主義を棄てた。吉本的な意味でいう転向の思想的課題というものがあるとするなら、最深部の問題構成はまさにこの真壁のような地平に胚胎されていたんだ。もっとも、真壁本人は真摯にそれに向き合うことがなかったわけだが。

エス・ちょっと真壁の年譜の話に戻ろう。この一回目の拘留のあと、彼は宮沢賢治の研究会を組織したり、「日本浪漫派」に作品を発表したりしている。黒川能に嵌まっていくのもこの時期だ。

そして、昭和一五年、三三歳のとき二度目の弾圧を受ける。宮沢賢治研究会で社会主義の研究をしているのではないかと疑われ、村山俊太郎らの生活綴方教育運動への大弾圧と機を一にして逮捕され七〇日間拘束される。さらに翌年、福島県の霊山神社で転向教育を受けさせられる。この間の真壁の心境については年譜からはわからない。

ところで、だが、先に挙げた「新春随想」が書かれたのは昭和一五年中だろうから、真壁は転向教育を受ける前にほとんど転向していたとも考えられる。
またこうも考えられる。七〇日間の拘留は厳しい体験であっただろうが、それでも真壁には二五歳のときの経験、つまりは逮捕・拘束の免疫があったはずだ。だからこのとき逮捕されたことが思想転回に大きな影響を与えたとは必ずしも思えない。もっと言えば、真壁の転向の主要因はこうした弾圧によるものではなかったと考えられる。

ウラ・真壁の転向については新藤謙の力の籠った論考がある。（注8）新藤は、真壁の言語表現についての志向性から日本浪漫派的な世界へのめり込んで行ったのではないかという。

エス・このことについては、ぼくも同感する部分がある。しかし、ぼくらの見方からすれば、これは詩人もしくは文学徒としての真壁の一面を捉えているとしても、それ以外ではない。ぼくらら敢えてもっとザッハリッヒにこう見る。
年譜の昭和一六年のところをみてみよう。

「『文学報国会』の前身といえる団体をつくる手伝いをさせられる。会長の結城哀草果に県の特高課長から『特高の世話になった人間がいる。望ましくない』という横槍がはいる。哀草果が仁を呼び出しお前のことだと思うんだけどもね、会から抜けてけろ』といわれ、仁は喜んで脱退する。」（引用者註：表記の不整合は原文のまま。この記載内容は真壁の『野の自叙伝』（注9）からの引き写しのようだ。）

さて、それでも二年後に文学報国会山形詩人部会が発足すると真壁はこれに参加するのだが、もしこの記述を信用するとすれば、転向教育を受けた後でも真壁には表現の世界で進んで国家や国体に奉仕しようという意志はなかったようにみえる。真壁の転向は、半ば偽装であったかのようでさえある。

しかしこれとは逆に、戦後の真壁が作為的に自叙伝でこのように記して、戦前の自分はいかにも渋々転向したのだという印象を与えようとしていると看做すこともできる。

ウラ・おいおい、そりゃあ後者に決まっているだろう。更科源蔵宛の昭和一五年四月三〇日の書簡（『真壁仁研究』第五号所収）によれば、こうだぜ。

僕は二月六日に検挙されて四月十六日まで七十日間監房生活をやって来ました。今回の事件に直接関係ないことが判ってもらったのですが、『犀』『北緯五十度』や詩集出版、新聞の詩の選、詩談会等をやった昭和四年―八年の文学活動を左翼的な運動として峻烈に自己批判しそれを克服し清算することが、その間の仕事だったのです。僕は現在日本人としての国民的感情に目覚めてゐて、特に芸術や美の血統を通して東洋―殊に日本を支持し主張したいと思ってゐるので、過去に於ける思想傾向を謬れるものとして糾明することに何の逡巡も感じなかったのです。（中略）

しかし戦争の感激と、民族の意志は亦詩人にとって本質的な血縁だと思ってゐます。詩人のパッションは案外そこに直接つながってゐるのではなかろうか。然し抒情詩はどうしても詩の本体ですね。戦争をさへ抒情するのが真の詩人かもしれません。

デデー。これには眼を覆いたくなるよなぁ。

エス・これをこのまま読めば、真壁は積極的に転向したことを確信できるだろう。真壁の戦争賛美、戦争協力の詩への道がよく合点されるということになる。

ただ、ぼくらは、一瞬の間だけ、これらの書簡の送受信者たちが特高に検閲される可能性を意識して書いていたのではないかと想像を及ぼしてみる。なぜなら、たとえこれが真壁の真実の姿だったとしても、特高の目を意識したのでなかったら、弾圧で職を追われ生活の困難に見舞われていた更科にこんな能天気な転向の心情を書き送るはずがないからだ。いくら真壁を酷評するぼくでも、真壁仁という人物が生涯の友人に対してここまで無神経だとは思いたくなかったな。（苦笑）もっとも、ここでぼくらは、真壁が衷心から積極的に転向したのかどうか、そしてその事実を戦後の自叙伝で隠蔽しようとしたのかの追及に入れ込むつもりはない。重要なのは、こうした真壁の内心の「振幅」を、戦前から戦後さらには晩年まで一貫して見通す視角なんだと思う。

ウラ・あっは。兵役逃れから始まって、偽装（?）転向し、社会的地位としては米の検査員から農業会参事へと役職にありつき、戦後には市の農業委員長や教育委員という公職につく。この人物はじつに上手に〝振幅のある人生〟を生きているなぁと思うよ。これは半分は皮肉だが、半分は皮肉ではない。処世のうまい人物というのはいつだってこんなものだ。

けれど、問題はここにこそある。真壁の転向は半分は処世術みたいなものだったと仮定して、しかし、だが、あとの半分はいったい何だったんだ?

やはり新藤謙が述べているように「日本的」な美的感性がはまる陥穽の問題だと?・・・。あるいは、きみはまさか橋川文三がいうような「政治から疎外された革命感情の『美』に向かっての後退・噴出」であり、「デスパレートな飛躍」だなどと言いたいわけでもないだろう?（注10）

エス・いや、そういうナイーヴな考究は新藤や橋川に任せるとして、ここではもっと普遍的に、あるいはミもフタもない言い方で言ってしまおう。誤解を恐れずに言えば、要するに〝あがすけ〟の問題なんだと。

ウラ・おーっと。普遍と言うわりには、また突然にローカルな概念が登場したね。(笑)
　ぼくらは山形生まれじゃないんだから、この言葉を山形以外の人間にも理解可能な言い方で、ぼくらなりに言い直さなくてはならないよ。

エス・〝あがすけ〟という言葉は、山形では目立ちたがりの好き者というような意味だ。だが、ぼくはここでこの言葉を、日常生活の繰り返しに耐えられない余剰な飢渇や観念を抱いた人間を意味することばとして、あるいはそのように過剰な力動性を表すことばとして措定しておきたい。言い換えれば、吉本隆明のいう〈大衆の原像〉に収まりきれず、そこから溢れ出す人間性のことだ。全部とはいわないが、ひとはみな、とりわけ立ちまわりの才覚ある人間は、この観念の〈あがすけ性〉をいかにコントロールしていくかという課題を背負っている。真壁はこれがうまくできなかった。表現の領域でおれは時流に乗らなければならないんだという力動が無意識を衝迫している。この場合、時流とは戦時体制の中でわずかに許された「日本浪漫派」のような感性の発露=作品発表の場であり、翼賛体制の基礎となる社稷的存在としての、或いは農本的美学としての黒川能だった。
　彼は、自らの飢渇を満たす芸術的な価値をどこかに措定することと、詩人として表現の流路をどこかに確保することにのみ只管だったのさ。そしてそのためにものを書く「自由」が必要だった。要するに、真壁には対自的な倫理性というものが決定的に不足していたんだ。これはぼくらだって他人事じゃないけどね。

三　真壁はなぜ教育に関与したのか

エス・ぼくがここで真壁の〈あがすけ性〉を敢えて問題にするのは、彼が戦後にさっさと戦争協力した自分の禊ぎをし終え、公職についたり参議院選挙に立候補したり、あるいは進歩派として文化運動や社会運動の旗手みたいな顔をしていたから、という訳ではない。

　県教組との関係を深め、教育や学校について晩年まで発言を続けてきたことに、このひとところの地域の問題が表れていると思うからだ。

ウラ・山形で教育といえば、いわゆる「北方性教育」、つまり生活綴方教育運動を抜きに語ることはできないね。そもそも昭和一五年の真壁の逮捕も、生活綴方教育運動への弾圧の一環として行われたようだ。きみはこの運動をどう捉えているんだ?

エス・紙幅がないので図式的になってしまうが、この点に関するぼくの見方の概略はこのようなものだ。

　まず、戦前の山形のような農村部にあって、〈知〉を担うのは公立学校の教員しかいなかった。〈知〉は、それを得た者、得ようとしている者にとって、上昇過程をある意味で自然な過程として辿らせる。つまり〈知〉は、ある歴史的段階までは幾許か必然として〈理念〉へと至る力動なんだ。

一方、農村の生活はこの国が戦争にのめりこんで行く過程で人身売買が日常化するほど荒廃し過酷なものとなり、そしてその現実を毎日学校に通ってくる子どもたちが背負ってくる。教師たちはこれら〈子どもという大衆〉の現実に直面しなければならなかった。

この学校という時空にいる〈子どもという大衆〉は、あらためて考えてみるとじつは極めて特殊な存在なんだ。ここでそれについて詳しく触れる余裕はないが、ここにはひとまず〈知的指導者〉と〈教化を従順に受け入れる大衆〉という関係性が僥倖のように成立していることに着目しておきたい。

〈理念〉へ至る力動がこの関係性を捉えないはずがない。ここで〈理念〉は、〈子どもという大衆〉に向かって、「お前の生活現実に目を向けよ。そのしんどさから逃げ出すな。この現実を、この場所で、自分たちの力で変えていけ。そのためにお前に〃ことば〃を与える」と呼びかける。そして〈子どもという大衆〉は、ひとまずはこの領導に素直に従ってくれるというわけだ。

ウラ・たしかに学校という場における生活綴方教育においては、そういういわば指導者としての〈インテリ〉と指導される〈大衆〉といった関係がイデアルティプスに近いかたちで成立しているのかもしれない。けれども、実際の学校という現実は、そんな図式には収まりきらないものでもあるだろう。なにしろ、学校へやってくるのはある意味では〃丸ごとの市民社会〃なんだ。

エス・市民社会とは、ヘーゲルやマルクスの言う意味でのそれだね。たしかに「学校」は図式や理論で語れても、学校へやってくる〃丸ごとの市民社会〃を紋切り型で捉えることはできない。しかし、だからこそ、真壁は直接にそれに向き合う立場ではなく、「教組」または「教師集団」の理論的指導者またはスーパーバイザーという位置を自らに与えたんだ。教師という指導者たちには、理念のことばさえ与えればいいのだから。

理念の世界に生きる側面をもつインテリとしての教師たちへ理念のことばで語ることで、間接的に大衆たる子どもたち、すなわち市民社会へ影響力を及ぼす・・・そういう幻想に浸れるところに真壁の〈あがすけ性〉が最も顕著に表れている。

ウラ・そういえば、真壁は日教組が設立した国民教育研究所の研究員となり、やがて県教組などが設立した山形県国民教育研究所の所長に就任するわけだが、公教育に携わる公的な団体が作った組織の長にいながら、じぶんを『「野」の教育者』と看做している感性がわからないね。真壁を持ち上げる連中はこういうのをダブル・スタンダードだと思わないのかな。

エス・さて、ずいぶん長くなってしまった。ここで、このぼくらの文化的・知的風土の歴史事情を敷衍しつつ、最後のまとめをしておこう。

戦後しばらくの間まで、地方において文化活動を主体として担うのは地元に住むインテリまたはプチ・インテリ層である教員たちだった。ある時期まではこのひとびとのレベルが文化運動や社会運動の質を決めてきた。そして、これは戦前からだが、これらの層に担われてきた山形の文化レベルは決して低くなかったと思う。

先に述べたことを別の言い方で繰返すことになるかもしれないが、しかしこの人々は特殊なひとびとだ。

第一に、彼らは他者から「先生」と呼ばれ、お互いを「先生」と呼び合う。要するに、「先生」としてだれかに向き合うという人間関係を、意識的に、また或いは無意識的にもつねに生きているんだ。牽強付会との指摘は甘んじて受けるとして、こういう関係のあり方が、じつは彼らが中心的に担ってきた文化芸術活動の領域でも、いわば基層構造を形成しているのだと指摘しておかなければならない。この世界では、ともすれば文化表現の内実評価は先生と弟子または先生と先生の人間関係、あるいはそれに擬似した人間関係に還元され、または左右される傾向をもつ。
第二に、教員たちは学校で生徒に文化や芸術の教育を施し、地域では文化芸術活動を（おそらくは主導的立場で）行う。この境界が意識化されないままいつの間にか不分明になっている。地方においては、ある時期まで文化は教育の延長線上にあった。だから無意識のうちに文化活動は啓蒙や指導の対象となるものだと看做される。
そして戦後、いち早くこの事情を看取し、教組に同伴することでこの基層構造にうまく自分を適合させ、自らのイメージを流通させていったのが〈真壁仁〉という「進歩的地方文化人」なんだ。

ウラ・ぼくにはそれは逆にも思えるね。そういう関係性を無意識に生きつつ、この山形の地で文化的な活動をしてきたひとびとが、いわばほどほどに理想的な、したがって手の届く範囲の理想的自己像を〈真壁仁〉という存在に投影し、真壁との現実的な人間関係における相対距離で自己の営為の本領安堵を図ろうとしてきた・・・〈真壁仁〉は、こうした地方のインテリ層が集合的無意識の如くに作り上げた幻想だと、そう見えるんだね。ゴゴー。

エス・おお。だが教員たちがインテリであった時代はとうに去り、したがってかれらが文化芸術活動を主導的に担う時代も終った。ぼくらは、いまこの山形の地で、こうした地域の〈構造〉が自己脱皮をなしえずその構造を縮小再生産しながら衰退し、したがって全体としては文化レベルをみるみる下降させていくのをみている。

大衆消費社会の拡大と高度化、そしてそれと表裏一体としてひろく浸潤する情報化、イメージ化。地域における文化創造の現場では、前時代の良くも悪しくも密接な擬似子弟関係の如きコミュニティは失われ、だがそれに代わるべきアソシエーションとしての表現空間・批評空間は未だ生まれていない。地方の文化活動はただ趣味のようなレベルの低いものと看做されるか仲間褒めの世界に封じ込められ、その一方でひとびとはサブカルチャーも含め「中央」から情報媒体を通じて発信される文化が文化の全てであるかのように刷り込まれる。

ウラ・たしかにそんな感じがするが、まさにそれへの反動として〈真壁仁〉という凡庸なイメージがこの時代に改めて流通しかけてもいるのさ。地方における文化の担い手、その先達者としての〈真壁仁〉。衰弱するとひとはいつだってわかりやすさを求めてしまうものだ。

エス・ここまで付き合ってくれてありがとう。ぼくらの科白は真壁仁に好意的な想いを抱いている読者には受け入れがたいものだったろう。しかし、真壁を語ることは、ぼくらにとって、この批判的な文脈においてなされる以外ではほとんど無意味だった。

　真壁の年譜を追っていたら、ぼくは自分が一度だけ晩年の真壁仁その人のすぐ傍らにいたことがあるのを知った。それは八二年三月、「山形県詩賞」を阿部岩夫が受賞した会場だった。だが、このときの阿部の表情を今でもよく覚えているのに、真壁についての印象は極めて薄い。

ウラ・きみが最初に提題したように、それはぼくらが彼と「固有な」邂逅をしたからであり、同時にすでに時代が彼の存在を捨て去ってしまっているからでもある。彼自身は山形県立図書館の書棚の片隅にひっそりと眠る存在であり、そこから彼を呼び戻すのは詮無いことだ。けれどぼくらは、ぼくらが〈真壁仁〉に見てしまった問題から、じつはまだそれほどには自由になっていない。

（了）

※この文で言及した資料の確認について、山形大学中央図書館と山形県町村会事務局にご協力をいただきました。感謝申し上げます。

（注1）吉田コト　「真壁仁の思い出」『真壁仁研究』第一号参照。

（注2）Hans Freyer（一八八七〜一九六九）はドイツの文化社会学者、社会哲学者。主著『現実科学としての社会学』（一九三〇）。「二十世紀の歴史的自覚」については入手できなかったが、ネット上で出口勇蔵の論説のPDFファイルを見つけ、その内容を窺うことができた。「説苑：ハンス・フライヤー『二十世紀の歴史的自覚』」（京都帝国大学経済学会「経済論叢」第五一巻第四号・昭和一五年一〇月）

（注3）一九六三年から九五年まで三二年間にわたって繰り広げられた紛争事件。北都開発と山形交通が蔵王刈田岳駐車場からお釜に至るリフトの設置を競合して申請したのに対し、山形営林署が山形交通の利権のために県境を従来の「登山道」から「分水嶺」（林班界）に動かし、山形県の七万平方メートルを宮城県としたのではないかという疑惑が争われた。山形地検はこれを山形交通会長で山形新聞・山形放送の社長である服部敬雄が営林署長らを買収し、県幹部を動かして北都開発のリフト建設を妨害しようとした疑獄事件だと睨んで営林署長を職権濫用罪で起訴した。七〇年、刑事事件としては無罪が確定したが、北都開発が国（営林当局）に損害賠償を請求していた民事では、九五年に仙台高裁が「県境は登山道」と認定し、

国の敗訴で判決は確定した。（現在の県境は、自治省裁定により登山道と分水嶺の中間とされている。）中央マスコミが山新・山交グループを攻撃し、山形新聞・山形放送・山形テレビの地元マスコミと対立。中央マスコミによる地方バッシングという側面もあった。山形県史をみる上で避けて通れない重要な事件である。

（注4）山形県『山形県史・第五巻』第三章参照。

（注5）吉本隆明　一九六九年　「転向論」『吉本隆明全著作集十三』　勁草書房　所収

（注6）思想の科学研究会　一九七八年　『（改訂増補）共同研究・転向（下）』　平凡社

（注7）中野重治「村の家」では、主人公勉次の父孫蔵は、少しは共産党の主張が理解でき、勉次が二度目に逮捕されたときは死んで帰ってくると思っていたと述べるような人物として描かれている。厳密に言うと、この小説には吉本の言うようには封建的な村も家も描かれてはいない。なぜなら、孫蔵は勉次に転向を奨めているのではなく、今までやってきたことを遊びにしないために転向した作品を書くなと言っているからだ。これは個人的な（ということは近代的な）倫理の問題だ。それに、経済的にも介護的にも勉次には老いた両親の面倒をみる必要がないのだ。

（注8）新藤謙　一九八七年　『野の思想家・真壁仁』　れんが書房新社

（注9）真壁仁　一九八四年　『野の自叙伝』　民衆社　一五二頁。
　ここで真壁は「（喜んで会から抜け出したが）そのことによって私の罪が軽くなるというものではない。戦争を賛美しなかったとはいえ、戦争に体をはって拒否の姿勢を私はとらないでしまったのだ」と書く。ところで、新藤前掲書は真壁の詩として「征きてかへらぬ」

「怒れる地霊の呼びこゑ」などの戦争詩を引用し、戦争賛美を書かなかったとする真壁について「真摯な真壁にしては失言であろう」と述べている。九八頁

（注10）橋川文三　一九六五年　『日本浪漫派批判序説』　未来社　三三頁

【参考文献】

大野六弥　一九六五年　『ドキュメントやまがた―迫真の山形県戦後史―』　みちのく書房

佐藤欣哉　一九九六年　『蔵王県境が動く―官財癒着の真相―』　やまがた散歩社

服部敬雄　一九八七年　『言論六十年の軌跡』　山形中央図書館

朝日新聞山形支局　一九八六年　『山形の政治』　未来社

藤田省三　一九七七年　『(第二版) 天皇制国家の支配原理』　未来社

吉本隆明　一九七二年　「共同幻想論」『吉本隆明全著作集十一』　勁草書房

佐藤国雄　一九九一年　『人間教育の昭和史「山びこ」「山芋」』　朝日新聞社

大岡昇平他編　二〇〇三年　新装版『全集・現代文学の発見・第三巻・革命と転向』　学芸書林

翼賛運動史刊行会　一九五四年　『翼賛国民運動史』　翼賛運動史刊行会

社会問題資料研究会　一九七二年　『司法省刑事局思想研究資料・左翼前歴者の転向問題について／生活主義教育運動に就て』　東洋文化社

6　黒田喜夫論　《演劇的な詩》とその行方について

はじめに

黒田喜夫の詩の大きな特徴は、読者にその場面をありありと想像せしめる描写の迫真性と、場面展開や物語の流れのなかから生み出される時間意識のずしりとした重みにある。

従来、黒田の詩は、《飢え》と呪詛、その帰結としての《スターリニズム》の切実性およびそれに対する批判という文脈か、土俗的な思想性の有効・無効をめぐる言説（つまり高度資本主義批判の妥当性）として語られることが多かったという印象がある。しかし、それでは黒田の詩を論じたことにはならない。

ここでは、まず黒田詩の方法の変化を時系列的に概観し、その変化の意味するもの、すなわち黒田詩の方法が辿り着いた場所とその先の困難性について考えてみたい。

一　黒田詩の方法について―《映像的な詩》から《映画的な詩》へ―

最初に初期の佳作、「うぐいす笛を吹く人」を見てみよう。全文を引用する。（引用は思潮社現代詩文庫『黒田喜夫詩集』から。以下、とくに断らない限り同様。）

影の塑像となってあの人は
麦畑を分けていく

風の刃に
無数に裂かれたかと思うと
また影のかたまりとなる

あの人の声は
にがい性液のにおいがする
走って影からぬけようとする
かがみこんで
草の羽を雲のようにとばし
自分も空もかくしてしまう

あの人はいなくなる
と思うと
下手なうぐいす笛をふきながら
おどろくほど近くに
影をわけて現れる

一九五〇年・黒田二四歳のとき、結核療養所の療友らとつくった回覧誌に発表された初期の作品である。黒田詩の特徴である映像的なイメージとその疾走が、すでに意図的に採用されている。ただし、その疾走感のなかで躓く場面があえてひとつだけ設けられている。それは「その人の声は／にがい性液のにおいがする」という二行である。ここは読み手の走駆が思いがけなく引っかかって躓く場面であると同時に、作品の肝にあたる部分でもある。ここで「性液」と言われているのは、精液のことなのか、女性の性器から分泌される液のことなのかわからない。結核罹患の経験者からは、病者の咽喉から上がってくる体液のことではないかとの指摘もある。なぜなら「うぐいす笛」とは結核患者の呼吸音の喩であると看做すこともできるからである。

いずれにしても、ここでは「にがい性液」というじつにリアルな感覚と、「その人の声」が「においがする」、つまり声が匂うという言語指示性のねじれ（意図的な錯合）が〝躓き〟となり、「うぐいす笛を吹く人」という牧歌的なイメージと著しい異和を醸しだす。ここで重要なのは、黒田がその初期にもっていたこのような詩語の隠喩的用法を、この後、封印していったということである。いや、初手から結論めいたことをいえば、黒田はこの〝躓き〟の隠喩的手法を、個々の文節や行において部分的に採用するのではなく、ひとつの詩作品そのものが全体として〝躓き〟になる方法へと展開させていったのだとみることができる。

次に、黒田の代表作のひとつ、「空想のゲリラ」（一九五五年・二九歳の作品。『列島詩集』掲載。）を観よう。後半部分を引用する。

いま始源の遺恨をはらす

復讐の季だ
その村はむこうにある
道は見知らぬ村から村へつづいている
だが夢のなかでのようにあるいてもあるいても
なじみない景色ばかりだ
誰も通らぬ
なにものにも会わぬ
一軒の家に近づき道を訊く
すると窓も戸口もない
壁だけの唖の家がある
別の家にいく
やはり窓もない戸口もない
みると声をたてる何の姿もなく
異様な色にかがやく村に道は消えようとする
ここは何処で
この道は何処へ行くのだ
教えてくれ
応えろ
背中の銃をおろし無音の群落につめよると

だが武器は軽く
おお間違いだ
おれは手に三尺ばかりの棒片を掴んでいるにすぎぬ？

ここでは、すでに映像的な詩の手法が確立している。この作品では、「始源の遺恨」すなわち《飢え》をはらす〝解放〟の遊撃戦に遠征している主人公の倒錯が、夢幻的な映画のように描かれている。印象的なのは、この映画が主人公の視点、つまり一人称的なカメラの視点で構成されていることである。登場人物と監督とカメラマンが同一人のドキュメンタリー映画だと言ってもいい。（ただし、ここでいう「ドキュメンタリー映画」の概念は、山形国際ドキュメンタリー映画祭が示すように「記録映画」という概念からはみ出している。）

このいわば〝一人称ドキュメンタリー〟の目線は、次の代表作「ハンガリアの笑い」（一九五六年・三〇歳の作品。『現代詩』掲載。）では、大きく変化している。

（前略）

吊るせ人民の敵
ブランコみたいに揺すぶるのがいる
まだ息するぞなんて最後に頭をたたき割ったのがいる

残酷なかれら
かれらは知らないんだ今朝九時にぼくが塩鮭で飯を食べていたことなんか

（中略）

全地上の飢餓の幻がきた
束の間に見えるかっと開かれた街の口腔
煙突とクレインと裸樹の犬歯を立てて
気狂いの飢えだ
ぼくもいつでも飢えた盲だ
足だけで走る抜けた毛で掴む
憎悪の的を探している
屍体のブランコを揺すぶった
ぼくはぼくの処刑に酔った

（中略）

迷子がひとり
パルチザンの唄をうたいつつ

坂を這いのぼる
ここにぼくの家がある
入ってゆくと
覚えのない顔が誰ですかあ！
細い死人の眼で睨めつける
転がりでてひき返すひき返すひき返す
雪塊のように大勢あるいている
宿無しの行進
盲の行列
（中略）
同志よ君がもっているのは何の旗？
それより君がかついでいるのは何の旗だ？
これは雪の旗雪で白くなった旗
おおきみは反革命かい
ちがう見てくれ
ぼくの頭のうえに翻っているのは
ぼくの頭のうえに翻っているのは
これはひどい奇蹟　雪より白いホルティの旗だ

（中略）

今はこうだ
砲塔を廻して
狙え
反革命を撃て！
反革命なんてぼくは嫌いだ
そこでぼくはやっつけた
もう一度もう一度もう一度
そこで一体どうなったか
ぼくがいなくなって解らない
ぼくがちっとも知らない街ブダペストで

（後略）

この作品で、映像的な詩の手法は〝映画的〟な詩の手法と言うべきものに進化している。場面の展開と挿話が効果的に使われ、「飢え」と「革命」をめぐるドラマが、複数の視点から、つまり同じ「ぼく」を複数の主体として演じわけさせることでうまく構成されている。

読者に分かり易いように、ハンガリア事件の登場人物たちとこの作品に描かれた複数の「ぼく」を照合しておく。

まず、動乱のなかで「残酷なかれら」（蜂起した群衆）に吊るされたのは、ハンガリー共産党（「ハンガリー勤労者党」）の一党独裁体制を支えてきた秘密警察や党書記局の職員である。作者（黒田）はまずこの人々、つまりスターリズム体制を支えてきた党員に自己同化している。「逆さに吊るされるとブダペストの街も逆さだ／解放ストリツァは頭上に／燃える電車が鼻に下がる」という視線＝アングルがとても映画的だ。

そして、その吊るされた「ぼく」を処刑した「ぼく」は「気狂いの飢え」によって「憎悪の的を探している」存在である。ハンガリア事件の背景には、社会主義施策の失敗による経済的困窮とくに農民の飢えがあった。

さらに、革命のためにパルチザンとして遊撃していたはず（この部分は「空想のゲリラ」の変奏曲であるかのように挿入されている）の「ぼく」は、気づくと「盲の行進」をしており、その頭上には「雪より白いホルティの旗」、つまり保守的独裁者＝反革命勢力の旗を戴いている。

その反革命の「ぼく」を、「砲台を廻して」撃ったのは、〃社会主義革命を防衛するために〃侵攻したソ連軍の戦車兵に自己同化した「ぼく」であるだろう。けれど、それによって、「ぼく」は「いなくなって」しまった。そこで映画は「辛いチャルダッシの」「笑い声」でいっぱいになって、終わる。

さて、では最後に、筆者が黒田詩の最高傑作とみる「毒虫飼育」（一九五八年・三二歳の作品。『現代詩』掲載。）ではこの手法がどのように変化しているのか観てみたい。全文を引用する。

アパートの四畳半で
おふくろが変なことを始めた
おまえもやっと職につけたし三十年ぶりに蚕を飼うよ
それから青菜を刻んで笊に入れた
桑がないからね
だけど卵はとっておいたのだよ
おまえが生まれた年の晩秋蚕だよ
行李の底から砂粒のようなものをとりだして笊に入れ
その前に坐りこんだ
おまえも職につけたし三十年ぶりに蚕を飼うよ
朝でかけるときみると
砂粒のようなものは微動もしなかったが
ほら　じき生まれるよ
夕方帰ってきてドアをあけると首をふりむけざま
ほら　生まれるところだよ
ぼくは努めてやさしく
明日きっとうまくゆく今日はもう寝なさい
だがひとところに目をすえたまま
夜あかしするつもりらしい

ぼくは夢をみたその夜
七月の強烈な光に灼かれる代赭色の道
道の両側に渋色に燃えあがる桑木群を
桑の木から微かに音をひきながら無数に死んだ蚕が降っている
朝でかけるときのぞくと
砂粒のようなものは
よわく匂って腐敗をていしてるらしいが
ほら今日誕生で忙しくなるよ
おまえ帰りに市場にまわって桑の葉を探してみておくれ
ぼくは歩いていて不意に脚がとまった
汚れた産業道路並木によりかかった
七十年生きてきて失くした一反歩の桑畑にまだ憑かれてるこれは何だ
白髪に包まれた小さな頭蓋のなかに開かれている土地は本当に幻か
この幻の土地にぼくのトラクタアは走っていないのか
だが今夜はどこかの国のコルホーズの話でもして静かに眠らせよう
幻の蚕は運河に捨てよう
それでもぼくはこまつ菜の束を買って帰ったのだが
ドアの前でぎくりと想った
じじつ蚕が生まれてはしないか

波のような咀嚼音をたてて
痩せたおふくろの躰をいま喰いつくしてるのではないか
ひととびにドアをあけたが
ふりむいたのは嬉しげに笑いかけてきた顔
ほら　やっと生まれたよ
笊を抱いてよってきた
すでにこぼれた一寸ばかりの虫がてんてん座敷を這っている
尺取虫だ
いや土色の肌は似てるが脈動する背に生えている棘状のものが異様だ
三十年秘められてきた妄執の突然変異か
刺されたら半時間で絶命するという近東沙漠の植物に湧くジヒギトリに酷似している
触れたときの恐怖を想ってこわばったが
もういうべきだ
えたいのしれない嗚咽をかんじながら
おかあさん革命は遠く去りました
革命は遠い沙漠の国だけです
この虫は蚕じゃない
この虫は見たこともない
だが嬉しげに笑う鬢のあたりに虫が這っている

肩にまつわって蠢いている
そのまま迫ってきて
革命ってなんだえ
またおまえの夢が戻ってきたのかえ
それより早くその葉を刻んでおくれ
ぼくは無言で立ちつくし
それから足指に数匹の虫がとりつくのをかんじたが
脚は動かない
けいれんする両手で青菜をちぎり始めた

この作品の表面と背景とに流れる強烈な物語性に圧倒される。ここには、故郷で食い詰めて都会に出てやっと定職を得た「ぼく」と、認知症になって昔の養蚕を再び始めると言いだす「おふくろ」の、ふたり暮らしの四畳半のアパート生活が描かれている。この設定だけでも慄然とする。そして、「おふくろ」の妄執が幻覚になって現れると、「ぼく」はそれを認知症による症状と看做してあやしていたはずなのに、やがて「おふくろ」の幻覚が「ぼく」に伝染したかのように、「ぼく」の前でも毒虫が孵り、それらが床を這うことになる。しかし、この事態は、たんに母親の妄執が息子に共有されてしまったという筋合いのものではない。息子は母の幻覚譚に刺激されて蚕と桑園の夢をみるが、通勤途中では並木に寄りかかって「白髪に包まれた小さな頭蓋のなかに開かれている土地は本当に幻か／この幻の土地にぼくのトラクタアは走っていないのか」と、この幻覚譚をむしろ対自化し、つまりは失われたじぶんの理想の幻に結び付けようとしている。幻覚から醒まさせなければならないのは「おふくろ」ではなく、「ぼく」自身なのだ。

だが、じぶんを醒ますかのように発語した「おかあさん革命は遠く去りました／革命は遠い沙漠の国だけです」ということばは、母から逆に指摘されるように、もとから「おまえの夢」（＝「ぼく」の夢）なのだ。これは母の妄執が息子に伝染したのではなく、まるで息子のＰＴＳＤ（心的外傷後ストレス障害）が母のＢＰＳＤ（認知症に伴う幻覚と問題行動）として姿を変えて表れているようなものだ。

そして、ここがこの作品の肝になるのだが、「ぼく」に帰ってきた革命の夢とは、ほんとうはコルホーズを走るトラクタアというような理想のイメージなどではなく、「革命は遠く去りました」と発語するときにこそ現れる〃革命の死〃であり、それを「えたいのしれない嗚咽」として、いまここで、演じているという体験なのである。これは転倒した語りであり、自虐による慰撫でもある。

さて、ここでは「おふくろ」と「ぼく」というふたりの登場人物が科白をやりとりしている。ふたりの登場人物は相互に幻覚を伝染させ合ったり、相手の妄想を訝ったりしている。その体温や息遣いが客席にいる読者にありありと伝わってくる。そして、ここには「アパートの四畳半」という舞台が設定されている・・・。ひとまず、このことをもって作品「毒虫飼育」を〃演劇的〃な詩と呼んでおこう。次節では、この作品が〃映画的〃な詩の位相を越えて〃演劇的〃な詩の位相に至ったことの意味について、黒田詩のモチーフの方から考えてみる。

二　否定の弁証法の到達地点としての《演劇的な詩》について

黒田の詩の原点にあるのは《飢え》である。このことをかれは「生の意義の死として映しとられた飢えのためにこそ、表現にむかわないではおれない」と言っている。また、「人間にとって胃袋の飢えは、ほとんどただちに心の飢えであり、心の飢えはほとんどただちに精神の別次な発動につながっている。」、「そして彼は、動物とはちがって、われわれの世界の関係・束縛においてしか飢えることができないのである。」、「われわれにとって、飢えとは、ただ飢えであることは決してない。飢えは記憶、悩ましい喪失の未来である。それは、ひとつの実在であり、何よりもわれわれの物質的な存在の事実にかかわるものだというもう一面の絶対の極を含んで、われわれの飢えについての真実なのだ。」などとも語っている。（評論「詩は飢えた子供に何ができるか」）

これを額面通りに受け取って〝生きる意義を失くした状態〟を〝飢え〟と呼び、そこを原点に〝生きる意義〟を求める（いわば〝飢えをみたす〟）ところに詩の本質があると言っているのだと看做すこともできるし、逆に〝飢え〟という詩の原点では〝生の意義など死んでいる〟、つまり生という実在とは異なった次元に〝飢え〟という「ひとつの実在」として詩が存在すると言っているのだと看做すこともできる。

このことに一本「詩が革命の実在ではなく、革命の死から生まれた」というかれの言葉を補助線として引いてみる。さらにもう一本「非現実のうえでの革命としての詩をもとめざるを得なかった」という補助線も加えてみる。（評論「トロツキー『文学と革命』について」）

さて、筆者は黒田の散文の膠着したもののいい方（文体）が嫌いである。だからざっくりと言い切ってしまう。こういうことだ。黒田の詩の原点としてある《飢え》とは、それを「ひとつの実在」だと看做すなら、そもそも自家撞着した観念なのだ。なぜなら、黒田のいうようにわたしたちはただ飢えることなどありえない。《飢え》という観念は、まさに飢えからの回復、飢えの否定を志向するベクトルをつねに／すでに同梱した観念だからである。だから、《飢え》という原点から表現を表出し始めると、その途端に《飢え》という観念に留まっていることはできなくなる。《飢え》は《飢え》に基づく表現意志によってつねに変質させられ、それによってその根拠を磨滅させていく。

つまり、《飢え》という原点は、それが作品に体現されていく過程で自己否定されていく。もともとそのように宿命づけられているのだ。そして、まさにこの自己否定の弁証的な過程が、前節で見てきた黒田詩の表現手法の道行きにはっきりと現れている。

「空想のゲリラ」では、郷里の村を解放（＝郷里に報復）するために遊撃するゲリラを描きつつ、報復すべき対象としての村や家がもはやどこにも実在しないこと、そして気付くと、報復しようとする「おれ」の肩にも武器が実在していないこと、すなわち報復の意志さえもがすでに存在していないこと、が語られる。すでに述べたように、この「ひとつの実在」たる飢えの否定は、〃一人称ドキュメンタリー〃の目線で表現されていた。ここでは、「おれ」が「おれ」を否定している。

「ハンガリアの笑い」では、少なくても次の四つの「ぼく」が描かれていた。〃吊るされ殺されたぼく〃（＝飢えを満たすための革命を信じ、党員としてスターリニズムを支えてきた主体）、〃ぼくを処刑するぼく〃（＝革命政権による政策の失敗によって飢えて盲になり、憎悪の的を探している主体）、〃パルチザンとして遊撃するうち、気づくと頭の上にホルティの旗をいただくぼく〃（＝

革命を目指して闘ってきたが、やっていることは反革命そのものとなってしまった主体）、〝反革命を撃つ、つまりぼくを撃つぼく〟（蜂起した民衆を反革命と看做して砲撃しようとする主体）の四つである。

動乱の直前まで「塩鮭で飯を食べていた」り、「友だちの奥さんと恋をした」りしていた「ぼく」は、このような相対立する複数の主体に分裂せしめられ、相手を敵だとして殺し合う。ここにあるのは、自己同一性の分裂と分裂した自己に対する相互の否定、そしてその結果としての自己喪失である。まさにこの複数のシーンでスペクタクルとして展開される自己否定と自己喪失のドラマが、〝映画的〟な詩の手法によって鮮明に定着されている。

では、筆者がひとまず〝演劇的〟な詩とみ、それゆえに黒田詩の最高傑作とみる「毒虫飼育」では、なにがどのように否定されているのか。いや、もう少し厳密にいえば、ここでは何かが否定されているのではない。何かが〝批評〟されているのである。

ひとことで言ってしまおう。ここで批評されるのは《飢え》というドラマである。つまり「毒虫飼育」という作品自体が、ひとつの舞台演劇でもあるかのようにして自らを批評の俎上に載せているのだ。（「舞台」が成立するということは「観客」の視線が存在するということに他ならず、「観客」の視線は必然的に批評を生成させる。）

この作品のなかでは「おふくろ」と「ぼく」というふたりの登場人物が科白を交わし相互に否定し合っているが、最後にはふたりが幻覚を共有し合うところで終わる。この作品のなかの存在を否定する主体は、このドラマのなか、舞台のなかには存在せず、したがって舞台の外でこの舞台を観る主体（それは作品の作者も含む）としてのみ存在する。いいかえれば、筆者がこの作品を《演劇的な詩》とみなすのは、この作品が黒田詩のなかでおそらく初めて〝作品全体として否定（＝批評）〟されうる〝舞台〟というイメージを形象化してみせた作品だからだ。

ここで、あの《飢え》は、表現の原点であると同時にあからさまに批評されうる舞台上の「ひとつの実在」として提出されている。もっとばっさりと言ってしまえば、読者（または観客）は、失われた革命の夢を「えたいのしれない嗚咽」として演出する舞台を見せられ、かつはそれを革命の（あるいは革命を喪失した者の《飢え》の）詩だという解説を聞かされるのである。だからこそ、読者（または観客）の一人である筆者は、「これは転倒した語りであり、自虐による慰撫である」と批評したし、批評することができたのである。

筆者に言わせれば、こうして批評されることよって、この作品はまさに革命の終わりの詩、あるいは《飢え》の終わりの詩となるのだ。（冒頭のところで「おまえも職につけたし三十年ぶりに蚕を飼うよ」と二度繰り返される科白が、初手からそのことを暗示してもいる。）

この意味で「毒虫飼育」は戦後詩のひとつの優れた到達点である。そして、到達点であるということは、次の展開がとても困難なものになったということでもある。

おわりに

ドラマ性をもった詩を方法として選んだ詩人の宿命は、次々に新たな物語を紡がなければならないことである。詩集『不安と遊撃』（一九五九年刊）に収められている「河口眺望」や「暗い日曜日」では、再び〝一人称ドキュメンタリー〟の手法に帰っているが、これらの作品では、日常と非日常の境界を覚醒してみつめようとする時間意識が、緊迫した〝散策〟というドラマとして描かれている。黒田の〝革命〟が黒田によって喪失されたあとの詩として佳作だと言えるが、評価できるのはこれらの作品までである。このあと、黒田は、詩集『地中の武器』（一九六二年刊）に収められた作品「地中の武器」や「餓鬼図上演」などで映画的手法の技巧化・緻密化を図るが、それらのインパクトは「毒虫飼育」に遠く及ばないと言わなければならない。また、『地中の武器』以降の作品は、従前の作品から取材したものの焼き直しという感がつよく、もっとはっきり言えば硬直化して魅力のないものになっていった。（散文ではさらにこの傾向が著しい。）これには黒田自身の病状の悪化が影響しているだろう。

詩人・黒田喜夫の詩的精神の原点である《飢え》は、その苛烈な体験に裏打ちされて〝極北の戦後詩〟といわれる「ハンガリアの笑い」「空想のゲリラ」「毒虫飼育」など詩集『不安と遊撃』の作品に結実してわたしたちを捉え、とてつもなく震撼させる。だが、と同時に、上に述べたような宿命を負っているため、その先の行き場（生き場）をもちえなかったようにも視える。黒田は、「非現実のうえでの革命」という（谷川雁の詩作品が成し遂げてしまったような）ビジョンについては、そもそも展開しようとしていなかった。

演劇は〝一回性の芸術〟といわれる。これを比喩的に当てはめれば、詩人・黒田喜夫は「毒虫飼育」によってただ一度《演劇的な詩》の位相に達してしまったことによって、それ以降の自らの詩の行方を絶ち、それゆえに戦後詩史に屹立する存在となったのである。（了）

7　秋山清論　ニヒリズム・アナキズム・テロリズムの転形過程

エストラゴン・さて、猛暑の夏が過ぎたと思ったら、もう冬が目の前だ。まさにウイズ・コロナの冬をどうやって乗り切ろうか、いろんな意味でそれぞれの社会的作風の正念場だね。

さて、今号のお題は「秋山清」だ。アナキストとしての名は知っていたし、若いころ何かの雑誌で文章を読んでいたはずだが、その著作の内容についてはほとんどぼくらの記憶になかった。そこで、これまた取り急ぎ何冊か秋山の単行本を紐解いてみたという次第。

ウラジミール・いつもながらの泥縄なのだが、今回はいつにも増して時間が足りなくて、ちゃんと考察できたか怪しい。というのも、とりあえずネット古書店で『ニヒルとテロル』の文庫本を入手して読み始めたのだが、この冒頭に収められている「動と静」という文章(小野十三郎への返信という形をとっている)が仲間内の言葉で語られていて入り込みにくかった。そこで途中から『ニヒルとテロル』を離れて『わが暴力考』を読んだのだが、これも内容は期待外れだった。そこからパタリと手が止まってしまい、時間をロスした。う〜ん、と悩んで手元の『暴力のオントロギー』(今村仁司)や『テロルの現象学』(笠井潔)に手を伸ばしたら、今度は収拾がつかなくなりそうだった。そこでしばらく時をおき、気を取り直して図書館から秋山の自伝『目の記憶』を借りて読んでみたら、これがけっこう面白くてね。ここから取っ掛かりを掴んで『ニヒルとテロル』を読み直した。というわけで、さらに時間を要しちゃったわけよ。

エス・ぼくらの限られた渉猟における秋山清の仕事で注目すべきものは、まずは吉本隆明が戦争期の抵抗詩として「これならほんとうだ」(註一)と評価した初期の詩作品、次にアナキズム文学史や「アナ・ボル論争」(これらは大正期からはじまる「政治と文学」論争でもある)の縦断的紹介、そして具体的なテロリストの言動を踏まえたニヒリズムとテロリズムに関する考察、この三つということになる。

ウラ・ぼくの関心は、秋山がこだわった〝ニヒリズムとアナキズムとテロリズムの関係性〟にある。これらはどういう関係になっているのか、少なくとも秋山の著作から、これらの思考や思想が転形していくさまがどのように見えるのか、このことをつねに意識してこの対話を進めていきたいと思う。

エス・ところで、きみが手に取った『暴力のオントロギー』は、まさに学者ジャーゴン満載の思弁的著作ゆえ付き合うのがしんどいのだけれど、それでもその中でとりあえず注目しておきたいことがある。それは、この書の冒頭で今村がレヴィストロースの論を批判的に考察している部分だ。インセストタブーに基づく女性の交換規則から、レヴィストロースは社会を交換の機制として考察するが、今村は、「女性の交換規則の体系として進行する社会関係の裏側には、厖大な暴力と闘争の禁止と抑圧が横たわっている」と述べ、「暴力と闘争の抑圧」という視点から、次にはマルクス『資本論』の「価値形態論」を考察する。マルクスの価値形態論における〈一般的な価値形態〉において発生するところの、〈第二項〉でありながら〈第三項〉でもある存在に注目し、「暴力の互酬性は、ついには第三項を共同的に暴力的に産出することによって、相互性の秩序安定化をはかることになる」、「社会関係は二項対立ではなく、第三項と二項対立関係との関係である」と述べている。今村の思弁的論述にここでこれ以上踏み入ることはしないが、ぼくはここにテロリズムを考えるヒントがあるような気がする。このことについては、この対話の最後に戻ってくることになると思う。

一　共同体の記憶と固有名詞

ウラ・それじゃあ、まずは『目の記憶』に触れておこう。これは秋山清が物心ついてから一九歳になるまでの自伝だ。ここでまず惹き付けられるのは、秋山が生まれ育った福岡県企救郡松ヶ江村字今津（現・北九州市門司区字今津）という辺鄙な漁村の村落共同体の人間関係だ。冒頭に、今津村の沖三キロに浮かぶ同村の共有財産である津村島の石灰石採掘に係る村落内の争いのさまが描かれる。村内が地区によって「大組」（多数派）と言われる集団と「小組」（少数派）と言われる集団に属しており、この二組が八幡製鉄所への採掘権譲渡をめぐって対立し、大組が秋山の所属する小組の某家の塀などに糞尿を浴びせかけたのだ。小組の衆がそれを洗い流す騒ぎの様子が生き生きと描かれ、そのあとの記述と相俟って秋山少年にとって地縁や類縁の関係がどのように映っていたかが肉感を伴って伝わってくる。この争いの結果、なぜか住民が大組の二分の一にすぎない小組の主張が通り、採掘権の全面譲渡は退けられる。

それから印象的なのは、秋山が旧制中学に入学し、小倉に向かう汽車の駅まで山越えの道・二里半を徒歩で通学する場面の心象風景である。その鹿喰峠からは八幡製鉄所の焔が見えるのだが、その描写に「米騒動」や八幡製鉄所のストライキの知らせを聞いた少年の微かな心の動きが差し挟まれる。

そしてもちろん、この自伝のクライマックスは、大正一二年、東京の日大予科で学びながらエレベータボーイをしていた一九歳の秋山青年が関東大震災を経験し、そこで朝鮮人や社会主義者の虐殺を見聞きする場面である。

エス・ぼくなりにこの「ささやかな自叙伝」（『目の記憶』副題）から抽出しておきたいのは次の三点だ。第一に、秋山の精神の原点にこの今津という村落共同体の記憶があるということだ。対立抗争の記憶から書き起こされているように、この貧しいムラは決して理想郷として描かれているのではない。だがそれゆえに、秋山少年の社会的現実への感受性を育んだインキュベーターとしての役割は大きかったように見える。あるいは、対立しつつも相互性の秩序を形成するムラの体験的記憶が、やがてアナキストとなる秋山の、アナキズムに対する認識を無意識のうちに裏打ちしていたのかもしれない。

第二に、毎日歩いて峠を越え、さらに汽車で小倉の中学に通う日常の叙述には、生まれ育った村落共同体から自意識を疎外し、都市（＝世界）に向かう精神の過程が看て取れる。ここで峠は、都市と村落共同体とを繋ぐ記憶の結節点であり、それは精神の交通の経路でもある。ニヒリズムやアナキズムを語るのちの秋山に、孤独でありながらもハイマートロス的な寂寥感がないのは、思春期に膨大な時間と労力を要して往復したこの経路のためではないかとも思える。

第三に、身一つで上京し、働きながら学ぶようになった秋山青年のリアリストとしての目である。彼は夢見る文学青年でもなければ、出世の野心を抱いた青年でもない。リアリストであるがゆえに、何かに熱中するでもなく、逆に内向するでもなく、適度に自己の中心性（self-esteem）を保持しつつ、それでいて焦ることなく何かを探している。そして、そこで見聞きしたのが関東大震災後、多数の朝鮮人および大杉栄・伊藤野枝ら社会主義者の虐殺事件だった。

秋山は書いている。

「そして震災とともに出あったあれやこれやの出来ごとは、自己嫌悪などというぜいたくな思いとはかけはなれた、自分の生命を脅かされるといった経験であった。にもかかわらず、世間のこと、人間のことに何一つ目の明いていなかった幼い私は、そのような恐れを実感することは僅かで、むしろ天変地異が物珍しいといったような、呑気すぎるていたらくであった。（中略）私にそのとき、何らかの覚醒を与えたのが朝鮮人さわぎと社会主義者殺しであった。きわめて手軽に、人間が芋虫みたいに殺されたという経験であった。（中略）憤りをともないながら、どうしていいか、何を考うべきか、自分に考えきれぬことの前に呆然と佇立する思いだった。その思いを、社会嫌悪と名づけてもよかったであろう。教育勅語に培われたものを毫も疑ったことのない思考はまだ私の心中に僅か存在していたけれど、そのまわりから水が湧き出すような不安の目で、あたりを見まわして疑った。」（註一）

このときまで秋山は、教育されたとおりに日本は倫理的に他国に秀でた国家社会（「東海の君子国」）だと信じてきた。多感な青春期にこの強烈な体験を経た秋山の行く手には、ニヒリズムとアナキズムのほかに思想的な受け皿はありえない…そのようにさえ思わせられる記述だ。

ウラ・『目の記憶』に限ったことではないが、秋山の著作を読んでもう一つ印象的なことは、秋山の体験を記した文章に膨大な数の人名が出てくることだ。『目の記憶』には小中学校の同級生から上京後の職場の同僚や知合いまで、彼が関わった人々の名がフルネームで驚くほどたくさん記載されている。

これは秋山の視線が、彼が関わりあった人間個々人の具体性・固有性へと向けられ、それが明確に記憶されていることを示している。この人間の具体性への視線とその記憶は、詩作品をも優れたものにしている。

このことに関連して、ここで少しだけ彼の詩について感想を述べておきたい。
吉本隆明（註二）は「白い花」「送行」「おやしらず」を、添田馨（註三）は「雪」「拍手—ニュース第一七三号」を、「抵抗詩」（戦争及び戦争を遂行する国家への）として高く評価している。また、北川透は「象の話」「アメリカ」「送行」「さざんか」等について論じているが、なかでも「送行」については、「詩人の主観を排した、一人の庶民の応召にまつわる事実性の記録という、この詩の方法に注目せざるをえない」とし、この方法が「戦争下の思想・表現に加えられた外圧による詩人の主体の解体」であり、「それにもかかわらず、そのいわば最後の方法が抵抗の内質を持続させたのは、一見するとその単なる事実性の記録と見えるものを、強い現実構成力が支えていたからではないか」と言っている。（註四）
ぼくは、やはり昭和一九年に書かれた「送行」に注目したいが、その対象は北川とは少し異なり、次のような詩句のなかに視える（視えない）ものだ。

君をおいてわれわれは走り去った。
松山や
麦畑や
なだらかな丘の勾配や
雑木林や
冬枯れ乾いた風景を送って
電車は灯のない東京の街にかえった。

「印旛沼」の近くの兵舎のある駅で、出征する「安田末吉」「三十五才」「株屋の店員から徴用工」を見送って帰る「われわれ」。ここに出征する者の固有名詞が記載されていることで、読者は汽車に乗って帰る「われわれ」の固有な顔つきをも思い浮かべる。秋山の作品が北川の言う「現実構成力」を持つとしたら、それは「事実性の記録」からやってくるのではなく、秋山の固有名詞あるいは固有な事情へのこだわりからやってくるようにみえる。

ちなみに、零細な荒物屋の跡取りだったぼくの親父は軍隊に三度召集されたが、たしか最後の応召は三五歳のときだと言っていた。戦争末期に四〇歳で初めて召集されることがあったのかどうかはわからないが、おそらく秋山はもう召集されることはないと思っていただろう。この作品が「壮行」ではなく「送行」（送って行ったこと）であることをみても、主題は「われわれ」の方、つまりは秋山清という「主体」の側にあったと看做した方がいい。そう考えると、この詩は「君をおいて」「走り去った」具体的な人々、つまりおそらくは少しく年長であるがゆえに自ら出征することを免れた人々の姿を鮮やかに定着している。「冬枯れ乾いた風景を送って」という描写には、後ろめたさや罪悪感のような苦い感情が隠されているのではないか。そしてそれをあえて自分自身に差し向けているところに、秋山清という詩人の個別具体性に裏打ちされたニヒリズムが透けて視える。

二　日本アナキズムの特質

エス・秋山清についてニヒリズムとアナキズムのどちらが先にかれをとらえたかを考えるまえに、敢えてぼくらなりにアナキズムという概念について考えてみたい。その内容から秋山の主著ともいえる『ニヒルとテロル』では、ニヒリズムもアナキズムもテロリズムも自明の概念であるかのように語られているけれど、ぼくらにとってはニヒリズムと言われてもひどく曖昧であるうえ、アナキズムという概念さえもがとても幅広く、つかみどころのないものに思われるからだ。もっとも、その概要を知ろうとしたら、今どきはウィキペディアを覗けばそれなりのことが記載されている。しかし、ある固有な人間がアナキズムに魅かれるとしたら、そいつがアナキズムに何をどう視ているのかを把握することは容易ではない。

さて、くだんのウィキペディアには、アナキズムの思想潮流には「個人的無政府主義」と「社会的無政府主義」があると書かれている。ここから話を始めてみる。

秋山清は私生児として村落共同体が比較的強固に残存する漁村に生まれ、やがてそこの住民が小倉の工場に労働者として通勤するようになる時代、つまりは「米騒動」やストライキなど民衆の抵抗運動が簇生し始める時代に育った。こういう背景のもと、大正期の社会主義者（社会的無政府主義者）である大杉栄の影響を受けてもいるので、一見、社会的無政府主義への関心から出発したかのようにも思われる。その一方で、無頼のバガボンド辻潤への共感（註五）から個人的無政府主義への心理的な親和性も看て取れる。だが、ここで最も重要なのは、先に触れたように彼が関東大震災後の〝日本人による〟大虐殺から深甚な衝撃を受けたことだ。これらを勘案しながら、ぼくなりに秋山の思想的転形過程を追ってみたい。

まずは、アナキズムとニヒリズムをめぐる、ティピカルな思想的転形過程とでもいうべきものを仮構的に一瞥しておこう。

マルクス主義者から（と言うよりもむしろ一般からより繁く）「空想的社会主義」と言われた社会的無政府主義は、自律した個人による比較的小規模な集団を単位とした（全員参加型民主主義の）共同体ないしは生産組織が、対等で相互的に連携・交易する社会を理想としている。アナルコ・サンジカリズムとか集産主義とか呼ばれているものもこの範疇に含まれる。言ってみればこの対話の冒頭で挙げたレヴィストロース的な交換規則による社会、つまり今村の言う〝暴力と闘争を抑圧した社会〟ということになる。

だが、無政府主義は、近代国家のもとで、言い方を換えれば資本主義の発達期乃至発展期において、宿命的な困難を孕む。相手は強大な国家権力であり、民衆が掲げる最小限の生存権的な要求に対しても、すぐさま警察や軍隊という〈暴力装置〉を用いて過酷な弾圧をしてくる。暴力と闘争を抑圧しなければ成り立たない社会を目指しているのに、その実現に向けて進もうとすれば暴力と闘争が不可避となる。

ここで暴力と闘争を忌避すれば、その行先は、「新しき村」（武者小路実篤）という資本制内の小規模経営体における引きこもり生活に甘んじるか、あとは無力感を抱えて虚無的・厭世的になるほかない。すなわち頽廃的ニヒリズムの世界が待っているというわけだ。一方、ここで暴力と闘争の道を選べば、こちら側にもそれなりに統一と団結をもつ組織を形成し、一定の規律のもとに戦略・戦術を構築し実践していかなければならない。つまり、なんらかの政治的結社が必要となる。

するとここから、政治的共同性と個々人の意思や志向の軋轢の問題が生じてくる。闘争という目的のために組織の論理を優先させるか、集団的・政治的目標より個々人の言動の対自的な意味（つまり過程）を重視するか、そこで〝組織と個人〟という永遠のアポリアに見舞われる。

ウラ・そのアポリアを〝抑圧〟して隠蔽しようとしたのが「マルクス・レーニン主義」だ。レーニンは『国家と革命』で、国家の死滅という社会主義の目標を達成するためには、国家を暴力的に抑圧するもうひとつの権力、すなわち強力な「プロレタリアートの独裁」が必要だと説いた。やがて革命運動の過程で「プロ独」は全権を委任された唯一の前衛党（ボリシェビキ）によって主導されなければならないという主張が幅を利かせてくる。〝自由になるという目的のために、その手段として過渡的に独裁が行われる〟という論理、これは社会的無政府主義の弱さを克服するもののはずだった。

しかし、アナキストたちの多くは、前衛党にコントロールされる国家がレーニンの言うようにやがて死滅していくなどという夢想または虚偽意識を信じなかった。それどころか、おそらく大正期から昭和前期における日本の社会主義者たちの多くは、この〝国家の死滅〟という問題を、（「アナ・ボル論争」のなかで論じられたかのようには見えるのだが、）実際のところあまり本気で考えられる状況ではなかったと思う。なにしろアナキストを含む社会主義者たちの情勢（というよりも日本社会の状況）は、革命の現実性を云々できるようなところからほど遠かったのだから。

このため、日本における社会主義者たちの関心は、もっぱら革命というういつ実現するか視えない〝彼岸〟にあるもののために、今ここで息をしている〝此岸〟の自分をどう関わらせるかという問題（後に言う〈主体性〉の問題）に向けられた。これが「アナ・ボル論争」（アナキストとボリシェビストの論争）であり、それはやがて同心円的な拡張を繰り返しながら、戦後の「〝政治と文学〟論争」ひいては「吉本隆明・黒田喜夫論争」「吉本隆明・埴谷雄高論争」にまで至る日本文学史上の重要な論点となっていく。（註六）

余談だが、革命という〝彼岸〟に至るために現生の多くを犠牲にして全身全霊を傾注するのだという思想に、ぼくなどはキリスト教の根深い影響を感じるし、そこから逆に見ると、〝此岸〟における革命への過程（つまり自分の生き方、さらには個々人の相互関係）こそが重要だというアナキズムの思想（あるいは革命を志向する過程そのものが革命的でなければ無意味だという思想）は、むしろ親鸞（吉本隆明のいう「最後の親鸞」）の思想に親和的であるように見えるよ。

エス・このような事情、つまり革命は短期的・中期的には不可能であるという状況とそれゆえに政治社会論が必然的に思想文学論へ収斂していくという事情から、大正から昭和前期の日本において、社会的無政府主義は不可避的に個人的無政府主義に転形していくことになる。「ニヒリズム」という言葉の意味は曖昧で人によって抱くイメージは大きく異なるように思われるが、ここでは、この「個人的無政府主義」をこそ「ニヒリズム」であると捉えてみることにしよう。そしてこういう事情を踏まえながら、いよいよ秋山について考えていこう。

三　秋山清におけるアナキズムとニヒリズム

ウラ・秋山は自らに「否定の精神」が芽生えた原初的記憶として、次のようなことを書いている。

「まだ小学校二年生だったある日、毎日仲良く遊んでいた子が泣きながら遠い対馬に養子にやられるのに遭遇したとき、大人たちに漠然たる不信を覚えた。大人たちは不親切でざんこくだと、私は怒りと不安のために夜半に目ざめたような記憶がある。そのときから自分の中の何かに心づいたようである。」（註七）

こうして秋山はそれまでの共同体内意識から個人として疎外され、「はじめに吾あり」という感受を得ることになる。また、秋山は学校でも不当と思われる扱いには毅然として抗議する自我の強い少年だった。暴れ者ではなかったが、やるとなったら発条のように鋭い打撃を繰り出す喧嘩の強い少年でもあった。そして「日本の特殊性の教訓、優越と神聖の観念」を抱いた青年だった秋山を、関東大震災後の強烈な体験が襲う。かれは、「街の中で平然と人を殺す連中」（軍・警察のみならず自警団＝市井の人々をも含む）を目の当たりにして、「もう日本人というものを額面通り信用できなくなった」のである。（註・同前）

こうして、秋山のアナキズムには、まずは「はじめに吾あり」という強い〈個〉の意識があり、そこに国家への不信、国家の否定という想いが重なっている。

エス・一方で、秋山はニヒリズムについて、『ニヒルとテロル』のなかで次のような言い方をしている。

「ヒューマニズム↓ソーシャリズム↓テロリズム。ヒューマニズムが他者のために自己を以って尽くす思想であるとすれば、当然そのことの中に自己を生きる、という理解も含まれている。社会主義は自他の救済ということであらねばならぬ。そしてテロリズムは社会変革の目的を潜めた行動として、自己犠牲を予約する。社会主義的変革の要求に自己救済が含まれていることは当然だが、その高まりの過程で自己犠牲を要求され、そしてそれが当たり前となるのであるが、ここに生ずる矛盾を乗りこえるために必要となるものは、ニヒリズムである。」（註八）

ヒューマニズムから「自他救済」のために社会変革に関わった人々は、強大な国家権力による弾圧によって抵抗の手段を奪われ、追い詰められ、〝報復〟のために残された唯一の手段であるテロル（支配者側にいると思われる特定の個人の襲撃）へと追いやられる。自他救済へ向かうはずの生は、自己犠牲を強いられて自らの死を覚悟しなければならない。この径庭を跳びこえるため、〝自己を否定する〟ニヒリズムが呼び寄せられるというわけだ。

秋山の論には、ここまで追い詰められていくアナキストつまりニヒリストへの共感が流れている。人間を芋虫のように殺す国家権力とそれに同調する人間たちに対する否定の想いが、不可避的にテロリズムまで至りついてしまう心理過程への自覚というか自得があるからだ。しかし、ぼくらが注目すべき秋山のニヒリズム論のキモは、かれがこのようなテロルに向かうニヒリズムを語るとき、「早急に革命や改革を期待する楽天主義の否定」、「革命運動における反革命性すなわち非人間性の認識」を体現していたとする辻潤のニヒリズムが、必ずセットで語られているところにある。（註九）

「食えない自由、働かない自由、従わざる自由、それが彼の生き方の自由であった。それをニヒリズムというのは、否定することによって社会生活からはみ出し、逆に社会の常識から否定さ

れた者の自由であったからである。いいかえれば、かかわることのない自由であった。」（註一〇）

秋山はテロリストたち（中浜哲、古田大次郎その他「ギロチン社」の面々）の自己犠牲的ニヒリズムと辻潤のいわば他者否定的ニヒリズムの間を何度も行き来し、揺れ動きながら論を進めている。

ウラ・そういう振幅を繰り返しながら、秋山はやがて次のように言う。

「生きているかぎり、否定しても否定しても、それをつくすことは到底不可能であろうという予感とともに、だから否定することの上に立って、個人として我を侵かす何ものをも、いささかのものたりとも、拒否する態度、生き方として今はこれしかないのだと考えること、のそこにだけ自由があるというのは、心弱い発言であろうか。／このことに関するかぎり、ニヒリズムとアナキズムは差異のないもののように私には思われる。」（註一一）

しかし、その一方で「オレが在るのでなければ何ものも無いという認識」は、ニヒリズムではない。「しかし、では何故に現に生きて在る我の、やがて尽きるにきまっているものの、尽きるまでの生存にのみ、認識に値するものがあるというのか。やがての消滅がうたがわれぬならば、消滅までの生存と生活との一切もまた消滅の部分にすぎないではないか。生存と生活の現実を信ずるならば、個がある期間生命を保有すること、人間の種族的保存、その中に我を見出さざるを得ないのではないか。これをニヒリストの見解でないというのか。」と述べている。（註一二）

また秋山は、テロリストたちの自己犠牲的ニヒリズムと辻潤のいわば他者否定的ニヒリズムに「賛成同調を惜しまないにもかかわらず」、それがニヒリズムだというなら「究極において自分をニヒリストと見ることをせずに来た」とも言っている。

かれにとって、ニヒリズムはアナキズムと一体不可分のものであり、「あくまで生きるための、また闘うための、思想とならねばならない」ものであった。

エス・『ニヒルとテロル』のクライマックスにあたる「ニヒリズムとテロリズム」の締めくくりは、だが、「思想観」というより〝心境〟のようなもので、正直なところ肩透かしを食わされる。

「君のため、国のため、親のため、家のため、人のため、義のため、などという名目の如何にかかわらず、『死』が帰するものであるという思想はニヒリズムであり、また生きることの究極というものであろう。（中略）常住坐臥に私はかくありたいと思う。それは潔く死ぬためではない。あるときはいさぎよく、また未練たっぷりに、臆面もなく執着して生きるために、私はそうありたいと思う。」（註一三）

こんなことで、ニヒリズム、アナキズム、テロリズムをめぐる話にオチがつけられてしまっては、おいおい、という感じだ。「秋山清」というお題をいただいて、せっかくアナキズム、ニヒリズム、テロリズムについて論理を追って来たんだから、最後にぼくらの見方から、この対話の題名に関わることについて少しは何か話しておこうじゃないか。

四　テロリズムの不可能性

ウラ・初手からエクスキューズになってしまいそうだが、ぼくらのぼーっとしたアタマでは、テロリズムを超えるもの、つまりテロリズムを否定し、それを失効させる論理など想像もつかない。

ただし、ここまでぼくらが見てきた〝アナキスト〟にとって、テロリズムが〝本質的に不可能〟であることを示すことならできそうな気がする。

テロリズムは基本的に政治的報復乃至は個別的復讐として行われる。つまりそれは政治運動において主となる闘争とはなりえない。これはたとえ暴力革命を目指す過程においても、である。それはいったいどういうことか。

テロリズムが対象にするのは、一般に特定の個人である。その個人が無名であろうが権力者であろうが、またそれが何人であろうが、あるいは破壊や殺戮の規模がどれだけであろうが、あくまで「個人」への攻撃である。大正のテロリストであるギロチン社のメンバーらは天皇をターゲットにしていたという。一方で、関東大震災後に大杉栄らが甘粕憲兵大尉に虐殺されたと知って、報復のために甘粕の弟を狙った。相手が天皇であろうが、無名の〝弟〟であろうが、たとえ暗殺に成功したとして（当時のテロリストはいわばド素人で警察官一人の襲撃にも失敗しているが）、何がどう変わるというのか。社会変革に寄与することはまったくありえない。現実的にありえないばかりでなく本質的にありえないのだ。

それはなぜか。この対話の冒頭に挙げた今村の定義を思い出してほしい。もう一度「暴力の互酬性は、ついには第三項を共同的に暴力的に産出することによって、相互性の秩序安定化をはかることになる」、「社会関係は二項対立ではなく、第三項と二項対立関係との関係である」という定言の意味を考えてみよう。

アナキストが否定すべきもの、闘争の対象とすべきものは、〈国家〉であったはずだ。この〈国家〉は、それがどんなに暴力的な独裁権力であろうとも、ほとんどの場合〈第三項〉としての性格、つまり〈第三権力〉（市民社会で個々人が相互に対立する場面を超えた存在）としての性質をどこかしらに保持している。なぜならそれは「相互性の秩序安定化をはかる」ために「共同的に暴力的に産出」された存在だからだ。

そして、テロリズムは個人への攻撃であることから、「二項対立」という本質を免れ得ない。社会は「第三項と二項対立関係との関係」として存在するがゆえに、肝心の〈第三項〉はまったく影響を受けない。それどころか、二項対立の暴力の互酬性によって、二項対立を抑圧すべきものとして〈第三項〉はますます強化されていく。だから、アナキズムはこの〈第三項〉をこそ否定する思想であるにもかかわらず、テロリズムを抱くことで自己犠牲ならぬ自己擬制へと転化する。これがテロリズムの本質的不可能性の意味なんだ。いうまでもなく、テロリズムは革命運動どころか政治闘争にさえもなりえない。

エス・さて、今回も話が長くなってしまった。最後に「テロリズムを超えて」というタイトルに関するぼくの感想を述べて、この対話を閉じさせてもらいたい。

秋山は「革命の理想」を「一夜明けて見たら、街の風景は昨日にかわらず、しずかに交通機関その他の公共性ある仕事はつづけられ、商店もひらかれ、コーヒーも飲め、パンも食える。人々も何の危険を思うことなく出かけられる、つまり昨日のままの社会が少しの不安も民衆に与えずにそこにある」そういうものだと言っている。（註一四）

これがわざわざ「理想」として語られる意味はさまざまに忖度され、つまりそんなに単純な思考からでてきたものではないと思われるのだが、それでもあえてぼくらなりに言いきってしまえば、これは具体的に想像される（つまり混乱と流血が必至の）「革命」の風景ではない。これはせいぜい「政権交代」の風景なんだ。そして、それでいい。

社会は「第三項と二項対立関係との関係」として存在する。ぼくらは、政治社会的には〈第三項〉を否定しきれない。否定しきれないなら、一つの方略としてこれをなるたけおとなしく飼いならしていくしかない。身も蓋もない言い方をすれば、国家に対しては要するに改良主義的にこれを御していくしかない。そしてもう一つの方略は、〈第三項〉に対する〈二項対立関係〉を豊饒化させることによって〈第三項〉の意義を相対的に縮小させていくことだと思う。〈第三項〉を〈政治的国家〉、〈二項対立関係〉を〈市民社会〉と受け取ってもいいし、あるいは〈第三項〉を〈共同幻想〉、〈二項対立関係〉を〈対幻想〉と理解してもいい。

テロリズムは揚棄することも否定することもできない。しかし、意味のないものにはできる。なぜなら、それは本質的に不可能なものだからである。(了)

【註】

一　秋山清『目の記憶―ささやかな自叙伝―』(筑摩書房・一九七九年)二五二頁

引用部分では「朝鮮人さわぎ」という誤解を生じる表現になっているが、このことについて同書の別の部分で「災害にことよせて、日本人が朝鮮人を片っ端から殺したということ、社会主義者、無政府主義者であるというだけで日本人が同じ地震の被害者である日本人を、なぶり殺しにしたということ、(中略)一せいにわが同胞たちが殺人鬼と化したこと、われわれは権力と権力者をこの上なく憎むが、民衆が権力者には刃向わず、民衆を殺してそれを恥じることも知らなかったこと、(中略)わが東海の君子国は、地震よりも火事よりも、権力と権力好きの民衆がお

そろしいことを実証したかのようである。」と述べている。（二三二頁）
二　吉本隆明「抵抗詩」『現代詩文庫　秋山清詩集』（思潮社・二〇〇一年）所収
三　添田馨「秋山清と戦争詩」『現代詩手帖（特集・秋山清再検討）』二〇〇一年一〇月号（思潮社）所収
四　北川透「秋山清論―現実体感力の孤独―」『北川透現代詩論集成2』（思潮社・二〇一六年）所収
五　秋山清「ニヒリスト辻潤」『ニヒルとテロル』（平凡社ライブラリー・二〇一四年）所収
六　「アナ・ボル論争」については、秋山清『アナキズム文学史』（筑摩書房・一九七五年）を参照されたい。
七　「ニヒリズムとアナキズム」前掲『ニヒルとテロル』二五二頁
八　「ニヒリズムそしてテロリズム」前掲『ニヒルとテロル』二三四頁
九　辻潤（一八八四～一九四四）は、英語教師だったが、生徒の伊藤野枝（関東大震災後に大杉栄とともに甘粕大尉に虐殺された）との恋愛で退職処分とされ、以後定職に就かなかった。ダダイストを自称し、大杉栄らアナキストと交流。ロンブローゾ『天才論』、マックス・シュティルナー『唯一者とその所有』などの翻訳や読売新聞へ寄稿などをしていたが、やがて尺八を持って放浪生活に入り、最期は虱にまみれて餓死したと言われる。
一〇　「ニヒリズムそしてテロリズム」前掲『ニヒルとテロル』二三六頁
一一　「ニヒリズムとアナキズム」前掲『ニヒルとテロル』二五九頁
一二　同前　二六〇～二六一頁

一三　同前　二六一頁
一四　「ニヒリズムそしてテロリズム」　前掲『ニヒルとテロル』二四〇頁

【参考文献】（註に掲げたものの他に）
一　今村仁司『暴力のオントロギー』（勁草書房・一九八二年）
二　笠井潔『テロルの現象学―観念批判論序説―』（作品社・一九八四年）
三　秋山清『わが暴力考』（三一書房・一九七七年）
四　秋山清『あるアナキズムの系譜―大正・昭和のアナキスト詩人たち』（冬樹社・昭和四八年）
五　秋山清『恋愛詩集』（冬樹社・一九七七年）
六　岡田孝一『詩人秋山清の孤独』（土曜美術社出版販売・一九九六年）

8　吉行淳之介論

堕胎・嬰児殺し・子捨ての観念はどこからくるか

一　人間性の文学

エストラゴン・さて、今回のお題は「吉行淳之介」だ。ぼくらがこれまでほとんど読んでこなかった作家だったから、逆に興味が湧いたね。きみは泥縄でどんな作品を紐解いたんだい？

ウラジミール・たまたま書棚にあった講談社の『現代の文学19　吉行淳之介』（昭和四七年刊）をひと通り読んでみた。この巻には吉行の長編小説で代表作といえる「砂の上の植物群」（昭和三八年・「文学界」連載）、「星と月は天の穴」（昭和四一年一月・「群像」）、「暗室」（昭和四四年・「群像」連載）のほか、「焔の中」（昭和三〇年四月・「群像」）、「娼婦の部屋」（昭和三三年一〇月・「中央公論」）など中編・短編を含め全部で八編が収録されている。

エス・きみの大雑把な印象はどうだった？

ウラ・こう言うと誤解を生じさせそうだが、一言でいえば〝昭和の作家って、いい気なもんだったんだなぁ〟てな感じだ。

エス・いかにもきみらしい捻くれた言い方だが、そういう言い方じゃホントに誤解されちまうな。（笑）

ウラ・そうか。じゃあ、もう少し言い足そう。最近の小説家（と言ってもぼくは小説読みとはとても言えない文学面の貧読家だが）の作品を読んでみると、頭のいい人が一生懸命知恵を振り絞って書いているなぁと思わせられ、その才気と努力に頭が下がると同時に、なんだかその才気や努力のプレゼンを見せつけられているような気がして食傷してもしまう。そこからすると、吉行などは東大中退の秀才なのに、頭の良さよりその人間性を感じさせる。彼のいくつかの作品を「現代実験芸術」とか「斬新な方法」なんて評価する論者（注一）もいるが、時代の制約を別にしていえば、まぁ可愛らしい程度の工夫で、しかも成功しているとも思えない。

エス・要するにきみは、小説と小説家がなによりその人間性で成り立っていた時代、それを「昭和」（もう少し正確に言えば「昭和後期」）と呼んで、良くも悪しくも〝いい時代だった〟と言いたいんだな。

ウラ・それにもう一つ、作家という存在が銀座で飲み歩いたり、数々の浮名を流したり、愛人を囲ったりすること（注二）ができるほど、社会的・経済的に恵まれていた時代に対する憧憬と辟易みたいなものもある。〝ああ、昭和の作家はこれでもよかったんだ・・・〟という想いと、〝ああ、昭和の作家はこうしか生きられなかったんだ・・・〟というアンビバレントな想いだ。

エス・さて、そんな率直な（言い換えれば凡庸な）感想を披瀝しつつも、吉行の作品に真剣に向き合うとして、きみが着目するのはどんなところだろう。

ウラ・ぼくは、先に挙げた三つの長編に共通する〈生〉と〈性〉の問題について注目した。吉行とは異なった志向性だが、ぼく自身も詩作においてこの問題をもっとも意識している。そして、吉行作品のなかでこの問題を考えるうえでとくに重要なのは、「暗室」だと思った。これは作者がうつ病で苦しむ時期を経て書きあげたという意味でも重要な作品だ。

二　「暗室」の作品世界

エス・「暗室」という作品は、「一」から「四十九」まで番号の付された小段落で区切られており、いくつものエピソードで成り立っている。簡単に内容を紹介することは難しいが、それでも大雑把に言うと小説家である主人公の「私」と三人の女の性的関係が主になっている。

一人は生け花教授をしている多加子。慎み深い性質と品の良さをもっているが、性交である地点を超えると激しく乱れていく女である。だが、多加子はまっとうな結婚を選んで「私」のもとを去り、「私」はそれなりの嫉妬に苛まれる。

二人目はバーで引っ掛けた二二歳のマキ。男に吐き気を催すレズビアンだったが、すったもんだしながらも「私」とは肉体関係を結び、おそらくは意図的に妊娠する。「私」は堕胎させようとするが、それを拒否してニューヨークで生んで育てると言って「私」のもとを去る。

そして三人目は、多くの男性遍歴をもち、ひたすらセックスだけを求める夏枝。「子どもができて、それを引張り出してもらうのが大好きなの」などという、男にとっては極めて都合のいい女だ。「私」と夏枝は「O嬢の物語」に刺激されてSMプレイをしてみたりもする。それまで幻覚が表れるほど精神の安定を失い、小説家として廃人となりかけていた「私」は、夏枝との性関係のなかで小康状態に向かうのだが、一方で夏枝の部屋（「暗室」）に通うことに溺れていく。それはこれまで「私」が避けてきた女への依存でもあることが意識されてこの物語は終わる。

ウラ・きみがいま紹介してくれた内容は確かにこの作品の主要な部分なんだが、それだけだと「暗室」という作品が如何にも男女の性交渉というテーマだけのものに思われてしまいそうだ。でも、ぼくがこの作品にもっとも注目するのは、この作品が〝心象小説〟あるいは〝観念小説〟と言っても過言ではないほど、自己の〈生〉についての、無防備ともいえる感受と切迫した思念の吐露を含んでいるからなんだ。

エス・たしかに、この作品は冒頭の「一」から「二十」くらいまでの部分の所々に、それ以降の男女の性愛描写とは異質な内容が挿入されているね。そこはこの作家が〈生〉というものをどのように捉えているかを表白している部分だ。

ウラ・込み入った論脈を上手く伝えられるか心もとないが、吉行を語るうえで絶対に避けて通れないところなので、少し我慢して付き合ってほしい。

エス・では、まずはその部分の概要をぼくの方から簡単に紹介しておこうか。

冒頭の短い「一」。「私」は、ある会合で、人相の研究をしているという髭男に「きみは長男ではないな」と話しかけられる。長男だと答えると、「君の前に堕した子供がいるのか」と言われる。一方、「私」が長年気にしてきた自分の泣きぼくろの意味をその男に尋ねると、それは実の娘の身の上に関わることで苦労する人相だと言われる。すると今度はその男に「しかし、きみに娘がいたかな」と訊かれる。それに『いない。子供はいないよ。』/私はそう答えた。」というところでこの段は終わる。

同じく短い「二」では、ホテルのバーで一人飲んでいると、女がセックスで悶える声(幻聴だということが匂わされる)が聴こえきて、「異様な気持ち」になる。その気持ちから小学生のころに観たマンガ映画の記憶が蘇える。その映画で繰り返し映し出された男の足には指が六本あった。それにひき続いて「私」は先の髭男に答えた際、ひそかにあのとき堕した胎児は女だったか男だったか、と考えたことを思い出す。そして、「あのとき」とはどの女のときかと自問し、「その女は、もう死んでしまった。以前、私と結婚生活を送った女である。／このところ、私は矢鱈に過去へ引き戻される。」とこの段は閉じられる。なお、続く「三」で亡き妻の圭子は車に轢かれて死んだこと、「自殺ではあるまい。私は、事故死ときめている。」と説明される。

また別の部分では、「私」は、津野木という二〇代前半で新進作家として有名になったが今は売れなくなった知人が、有名だった頃に妻の圭子と密通したと疑っており、圭子が妊娠した胎児が自分の子か津野木の子か定かではないと考えて堕胎させたことが述べられている。

「八」では、敗戦の翌年に大学生だった「私」が、縁故をたどって夏休みを過ごした地方都市の旧家で視た「白痴」の娘の記憶が語られる。その娘とその兄（「低能」の上に盲目）が家族以外の者には秘密裏に屋根裏部屋で生活させられていることを知り、「私の神経は、その土地で新たに陰鬱な刺戟を受けた筈である」と述べられる。なお、この「出来損ない」たちは、「有名大学の教授」で「理学博士」で「天才」と言われる内山虎雄という人物の実の弟妹だということが明かされる。そのひとつ前段の「七」では、現在の「私」に、出版社に備えられた紳士録で内山虎雄の個人情報を調べ、内山に妻はいるが子どもはいないことを確認させたりもしている。

「九」では、内山について「子供を欲しがるのは、女の本能といえる。まして、天才の種である。そういう妻を、この二十数年に亙って、どういう言い方で説得してきたのだろう。」と思う件りと、「いずれにせよ、私は現在でも『ついでに生きている』という気分が、心のどこかにある。そういう気分で生きている人間が、子供を持つことは無意味としか思えない。したがって、私には子供はいない。」と語る件りが記される。

「十四」で、「私」は自身の受診のため訪れた病院の廊下で、原稿を依頼にきた雑誌社の宇田という青年と話をしている。すると目の前の台に、ある女が赤ん坊を置いていく。どうも捨て子らしい。会話の流れのなかで宇田が結婚したら子どもをつくりたいと言うのに、「天下は泰平だな、とおもった。（中略）私の青春の一時期は、アメリカの飛行機の空襲がつづく日々と重なっており、結婚の計画どころか、次の日のあいびきを生きて果たすことができるかどうかも、分からなかった。自己形成期の時期のそういう体験が、どういう形でどこまで私の心に沁み込んでいるだろうか・・・。」と「私」は内語する。

「十五」では、中絶ができないまま生んでしまった赤ん坊をネグレクトで死なせた女の話から、雑誌に書かれた恐山のイタコの話になり、さらには「もうこれ以上、子供をふやしたくない妻は、出産のときに、無意識のように股を締める。この世に顔をのぞかせた赤ん坊は、たちまちのうちに窒息してしまう。」という「ツブシ」（嬰児殺し）の話を引用しつつ、「都会のいわゆるマイホームの場合でも、『ツブシ』はおこなわれている。（中略）もっとも、その方法は東北地方のような原始的なものではなく、卵子と精子の結合を妨げる器具によるか、あるいは、妊娠初期においての掻爬手術である。」と述べる。

「十六」は、「私」と夏枝とのセックスのあとの場面。夏枝は「子どもができて、それを引張り出してもらうのが大好きなの」と言い、「私」が避妊具を使用することも体外射精することも許さない。しかし、「私」は、人間の世界ではすでに性行為が生殖を目的としなくなっているが、現在でも「男のは性器であるが、女のは生殖器と呼ぶに相応しい」と思えるし、「性行為の快楽は、女の方が深いが、その快楽が水先案役をつとめ、行き着く先は受胎ということになる」という考えに囚われ、夏枝に「(妊娠したとき) 悪くないという気分は、本能的なものなんだろうな」とか、「引張り出すのが大好き、というのには、マゾヒズムの気配があるじゃないか」などと (クソ男のようなことを) 言う。

「二十」は、マキと旅に出て、その帰途の列車での出来事。「五歳と四歳くらいの男の子と女の子」が車掌に保護されている。二人は孤児院を抜け出して大阪に向かうという。その二人を同じブロックの座席に座らせてドロップをあげる。ある駅で降ろされ駅員に連れていかれる二人の後ろ姿に、マキは「生まれてこなかったら、一番良かったのよ」という。「私」はマキに「そう言ってしまっていいかな。生まれてきたことには、あの子たちには責任はない。」と言うと、マキは「生んだ親にも、責任はないわ」と返す。そして、だが、「私」は、「あの意志の強そうな男の子が、将来、成功し出世し、大金持ちになることだって想像できる。しかし、そうなったから、どうだというのだ。」と内語する。

ウラ・長々と引用・説明してくれてありがとう。でも、書き出していると、ほんと、うんざりしてくるだろう。差別語と愚劣な思念のオンパレードだし、「私」が幾許かなりとも作者の分身だと考えたら、この吉行という人間はどうしようもなく幼稚なクズ野郎だと思えてきて、論じるのがバカバカしくなってしまう。だから、ぼくらはここで、とにかく吉行のクズさに「教育的無視」を決め込み、ここに書かれていることをある程度解釈しつつ、しかも書かれてないことを論じていかなければならない。初めに表面的に判りやすい観念 (あるいは嘘) を一瞥し、次にその観念 (あるいは嘘) の裂け目から窺える空虚を見据えていきたいと思う。

エス・この作品では、とにかく〈セックス〉が、つねに／すでに〈子ども〉という観念と膠着して扱われていることが印象的だ。〈性〉は〈生〉と切り離すことのできない問題なのだが、それをこの作者のように観念的に（というか強迫観念のように）扱うのは必ずしも一般的なことじゃない。しかも、この「私」は〈生〉から切り離された〈性〉を求めることに只管になりながら、それゆえに〈生〉の重みにグルグル巻きにされ、幻覚やフラッシュバックに苛まれていく。ここで〈生〉は、逃げようとすればするほど吸い込まれていく蟻地獄のようなものであり、その過程での足掻きがこの「私」を愚かで幼稚な存在へと貶めているようにみえる。

　さて、だがその事情を考察する前に、きみのいう「表面的に解りやすい観念（あるいは嘘）」の話をしてみてほしい。

ウラ・一番わかりやすいように見えるのは、「私」が〃ついでに生きている〃と言っている部分だ。その意味を考えるために、少し年譜を見ておこう。

　吉行は大正一三年（一九二四年）に岡山市に生まれ、その後東京で美容室を開業した母のもとへ転居し、番町小学校、麻布中学校から昭和一七年に静岡高等学校に入学する。一八年には心臓脚気と偽って休学するが、翌年復学。昭和一九年春の徴兵検査で甲種合格となり八月から岡山第一〇聯隊に入営するも、気管支喘息のため四日目にして帰郷を命じられる。

　昭和二〇年、二一歳のとき東京大学文学部英文科に入学。再び春の徴兵検査を受け、甲種合格。このあとすぐに五月の東京大空襲で麹町の母の自宅が焼失。吉行も母や「女中」とともに必死で防空壕に逃げ込み、生きながらえる。八月、長崎で高等学校時代の親友ふたりが被爆死する。

ここから見て取れるのは、吉行の世代性として、天皇制ファシズム下で社会の強いる価値と自分の価値観との葛藤のなかで生きなければならなかったこと、そして徴兵され死の観念に直面しなければならなかったこと、さらには実際に大空襲の地獄を体験したことである。先に応召した親友がふたり、長崎で被爆死したことも吉行の精神に大きな影響を与えたようだ。こうした経験を重ねることで、〝自分は死ぬべきところを偶然生き残ってしまった〟という感覚や、〝戦後の自分は余生を過ごしている〟という感覚が近しいものになっているのかもしれない。

これに加えて、吉行には健康上の問題もある。吉行は中学五年（一六歳）のとき腸チフスに罹り隔離病棟に入った。このときの療養は長期化した。また戦後には肺結核で肺の切除手術と療養所生活を余儀なくされた。（肺手術の際の輸血で肝炎に感染し、これが後年吉行の命を奪う肝臓がんの原因になったという。）

このように吉行は死の恐怖を繰り返し経験してきたように見える。エロスとタナトスが表裏一体のものだとすれば、まさにエロスに牽かれるものはタナトスにも引き寄せられる。「暗室」には次のような記述がある。デパートの子供服売り場で女の子を見て「可愛い」と思ったあとのことである。

「不意に、夏枝の子宮へ向かって射出されていく私の精液が、抽象画のような形で目に浮かんだ。それは、あきらかに生殖とは切り離された性行為である。新しい生に受け継がれるものではなく、死に近づいてゆく行為を激しく繰返しているという気持が、ゆっくり軀のなかを通り過ぎてゆく。」

性行為が死に近づいていく行為を激しく繰返しているように想われるという感覚は、ぼくにもわかるような気がする。「暗室」を書いたとき吉行は四〇代前半だったが、ちょうどその年代で、ぼくも死の観念に切迫されるようにエロスを求めたことがあった。

エス・青春期に徴兵され死を覚悟した世代が戦後に生き残って、その先を生きる意味を見出せなくなったり、自分の生を〝余生〟のように感じて無気力や放蕩に浸ったりするという話はさまざまに描かれてきた。それに戦災や疾病で死の恐怖に繰り返し晒されてきた人間が、生が死と隣り合わせにあるという感受から逃れられなくなるということもわかる。だが、吉行の場合はとてもそれだけでは説明がつかない。

上記の各段の内容をみてのとおり、「私」は、男女の性愛の問題を、人工妊娠中絶や子捨てや嬰児殺しや奇形児・障害児の出生と一時も無縁に考えることができない。しかも、障害児（それは性交の結果生まれる）をとても憐れむべき存在と見立て、あるいは穢れた存在として感受している。

ウラ・そうだね。ここが吉行淳之介のアポリアだ。作中の「私」あるいは作者である吉行が、〝ひとには生きる意味がないから子どもなどつくらない〟と考えるところから、つねに堕胎や「ツブシ」のイメージに膠着され、しかも血縁の問題をもっぱら〝障害児を生む〟という観念に結び付けて考えてしまうところまでには乖離がある。ここには、なにか強迫観念のようなものの存在を感じるし、それによって認知療法でいうところの〝スキーマ〟（筆者なりにいえば認知上の凝り固まった形式や回路）みたいなもの（吉行に固有なそれ）が形成されていると考えざるを得ない。

エス・まずは「私」ないし吉行の、障害児に対するイメージからその意味を考えてみたい。昭和四〇年代前半は、〈ノーマライゼーション〉や〈ソーシャル・インクルージョン〉などの概念（その価値と倫理及び実践）が日本社会に移植される前の時代であり、優生保護法による知的障害児・者への半強制的な不妊手術が関係者の「善意」で行われていた時代である。しかし、ここでぼくらが試みるのは社会的・時代的な価値や倫理の観点からの批判ではない。ぼくらの心的世界の深い領域で、男女の性愛の観念が障害を持った存在の観念に膠着しているのはなぜか。きみにはこの問いに答えてほしい。

四　〈未知の生〉に対する畏怖

ウラ・なにかユング的世界に足がかかってしまいそうだが、ぼくはユングにもフロイトにも詳しくない。けれど、この問題を考えようとするとどうしても原初的な未開の心性のイメージを描かないわけにはいかないような気がする。

障害をもつ者の存在は未開の心性にとってどんな意味を持つのだろう。障害をもつ者を異形の存在として忌み嫌いこれを疎外することは、現代的な観念からすれば差別ということになるが、その原初的心性はどういうものだろう。こう考えてみると、障害をもつ異形の者とは、それを疎外する共同体にとって、なによりも〈未知の生〉として存在するだろう。そして、それは〈未知の生〉であるがゆえに、〈生〉でもなく〈死〉でもない。〈生〉から疎外されていると同時に、〈死〉（つまり共同幻想としての死）からも疎外されている。

吉行にとって、〈生〉と〈死〉は対極にあるものではなく、隣合わせのものだった。隣合わせの〈生と死〉の対極にあるものこそが〈未知の生〉なんだ。「私」あるいは吉行は、この〈未知の生〉に深甚な畏怖を抱いている。それを〝純粋な畏怖〟と言ってもいいかもしれない。

そして、この心的な深層つまり〈無意識〉における畏怖の感覚が、「私」あるいは吉行の心的にもう少し浅い層つまり〈前意識〉における堕胎や「ツブシ」という原罪意識の地下茎になっているように見えてくる。

エス・いま、きみは「原罪意識」と言ったね。それに関連して、「暗室」の作品世界では、奇妙な混同ないし錯合がみられる。「私」は、「ツブシ」つまり嬰児殺しを、都市では「卵子と精子の結合を妨げる器具によるか、あるいは、妊娠初期においての掻爬手術」によって行っているのだと考えている。これをそのまま読めば、「私」は、器具による避妊も人工妊娠中絶も同様に子殺しだと考えるほど分別を欠いた（あるいは朦朧とした）意識の状態にあると看做さなければならない。人工妊娠中絶を子殺しと看做す考えを一概に否定する気はないものの、器具による避妊も子殺しだと看做す認識は、どこかの国のキリスト教原理主義者ならいざ知らず、ぼくらには俄かには信じがたい。「私」あるいは吉行は、様々な女たちとさんざん性交しておきながら、（場合によっては堕胎もさせておきながら、）どうしてこんな「原罪」を表白してしまうのだろう。

ウラ・そう考えてくると、逆に、ぼくらがいま仮初めにも「原罪」意識というような枠組みで考えようとしたことを根本的に疑うべきなのかもしれない。つまり、恰も〈性〉の営みの根源に「原罪」みたいなものが存在するという考えまたは暗示は、吉行がかまそうとした〝嘘〟なんじゃないか、とね。つまり、これはなにかのカモフラージュであり、吉行自身が無意識のうちに行ってしまった自己偽装なんじゃないか。
さっき、ぼくは吉行が〈未知の生〉に〝純粋な畏怖〟を抱いているのではないかと述べた。障害児を生むことは穢れであり恐怖であるように思われるが、そのことが純粋な恐怖であるとしたら、つまり無意識からくる深甚な畏れであるとしたら、おそらくそのことは「血縁」（巨大な比重をもったそれ）への畏怖であり、だからこそ同時に逆説的に現象してしまっているところの、ある種の希求でもあるはずなんだ。
吉行は、なぜこんな自らも本心から信じてしまいそうな自己偽装をしたんだろう。そこには意識の最深部に沈めておきたい深い空虚があるような気がしてならない。戦争で死に損なったとか、病で死の淵をあるいてきたとか、そんなことの遥か手前に口をあけている空虚だ。

エス・川村湊は「吉行淳之介の『街』」という文章のなかで次のように言う。引用が長くなるが、途中で切ると主旨が伝わらないので我慢してくれ。

【〝母〟の胎内にも似た暗い密室の中で行われる不義であり不倫である男と女の絡み合い、吉行淳之介の小説世界に通底するこうした基本的な図柄が、社会の秩序や良俗に反しているという以前に、まず「子」としての「母」的なるもの、「家族」的なものへの裏切り、反抗であることは明らかだろう。しかもそれは『砂の上の植物群』では、「父」の眼を意識しながら、それ自体が母胎的な舞台で繰り広げられる〝秘戯〟なのである。〝母〟あるいは「家庭」に対するサディズム的であり、またマゾヒズム的でもある関わりというものをここにみることは可能だろう。そして、それは吉行淳之介の小説が単に「母」や「家庭」を抹殺し、否定しようとして書かれているのではなく、〝母〟という神話、「家」という神話に基づくことによって書かれて来た日本の近代小説（それがたとえ「家」への反抗、〝母〟の崩壊であったとしても、そのこと自体を問題にすることによって「神話」はつねに生き延びうる）、すなわち自然主義から私小説にいたるまでの文学のアンチ・テーゼとして、そうした「神話」をその神話の内部において逆転させることで書かれて来たということである。つまり母胎回帰願望という神話を逆手にとることによって〝内向的〟な短編群を書き続けること、あるいは「父」の意図を出しぬくことによって「子」が復讐する『砂の上の植物群』といった作品を書くことで、彼は「母」とか「家」とかいう神話をその内部において無意味化しようとしたということができるのである。

あっは。名のある批評家にこんなことを言って恐れ多いが、これは「自然主義から私小説にいたるまでの文学のアンチ・テーゼ」を顕彰すべきという川村自身のテーゼのための屁理屈だという感じがする。】

とりあえず言っておくと、ぼくらの見方では、吉行作品に見てとれるのは、「『子』としての『母』的なるもの、『家庭』的なもの」への「裏切り、反抗」じゃなくて、「『母』的なるもの、『家庭』的なもの」の〝忌避〟だよ。しかも、その忌避が、女との生活を引き受けることからの逃避として現れるに留まらず、遥かそれ以上に堕胎や嬰児殺しや障害児といった畏怖の観念に裏打ちされている。そして、この〝忌避〟が自己偽装なんじゃないかと思われるんだ。

ウラ・川村が言いたいことはわかるような気がするが、それでもあえて言ってみれば、〝川村さん、あなたは吉行淳之介のなかに「『母』とか『家』とかいう神話」が存在することを前提として論じていますが、ぼくらには吉行の小説世界にはそもそも「母」という存在（というよりもむしろ「母」という機能）が欠落しているというように見えます。〟ということになる。

つまり、「私」または吉行は、「母」の欠落という巨大な空虚を埋めようとして堕胎や嬰児殺しや障害児といった畏怖の観念を呼び寄せているのではないか、というのがぼくらの見方だ。

エス・ふつうだと魑魅魍魎はパンドラの箱を開けたことによってこの世に躍り出る。だが、吉行淳之介の世界では逆みたいだ。パンドラの箱の中身はカラで、そこにこちらの世界から魑魅魍魎を搔き集めて、次々に埋め合わせていかなければならないということか。

五 〈母〉の不在もしくは機能欠損

ウラ・ということで、ぼくらは書かれていないことに注目すべきかもしれない。

小説『焔の中』(昭和三〇年・「群像」)は、昭和二〇年の晩春、「僕」が母と女中とともに住む家が空襲を受けて焼失する話である。その少し前、大学生の「僕」は赤紙が「明日舞い込むかもしれぬ状況」で、まだ童貞であることを、つまり「陰気でべたべたからまりついてくる触手のいっぱい生えた、恥の多い始末に困る要素」を持て余している。そこに知り合いの女学生が訪ねてくる。彼女には彼氏がいるが、「僕」はその娘に「外国の世紀末小説に出てくる『頽廃的なスゴイ娘』」のイメージを抱き、「官能をゆすぶられ」ている。自室で彼女を抱こうとするが、女中が覗いていていて邪魔される。

娘が帰ると部屋に入ってきた母に、「僕」は「学者のお嬢さんの友達で、こんど、ひとつモノにしてやろうと思っているところですよ」という。すると母は驚いた表情も意外な表情も示さず、

「お父さんがあんなに放蕩したのは、わたしのせいもあるのじゃないか、とこのごろ思うようになったのよ。いまの娘さんて、男の人に甘えるのがみんな上手ね、すこしも恥ずかしがらずに甘えているでしょう。わたしにはそういう一種の機能が欠けていたかもしれないわね」という。それに対して、「僕」は「書物から得たセックスの知識を少し喋って」みて、「母がその方面の知識の乏しいことを知」り、さらに得意になって「性教育を施」すと、母は「わたし、インポテンツかもしれないわね」と言うのだ。

ちなみに、「ぼくは母の年若いときに生まれた子供で、姉弟と間違えられることも屡々」だった。父は放蕩を重ねて電話まで抵当に入れた状態で五年前に死んでいたが、「背が高くて目鼻立ちのはっきりした母は若い未亡人というものになったわけだが、艶めかしいところもあるその単語の持つ雰囲気は一向に母の身につかず、むしろ人を寄せ付けぬ厳しさが感じられて、僕には気詰まりなところもあった。」

エス・母の安久利（後の美容家吉行あぐり）と父の吉川英助（後の新興芸術派の作家吉行エイスケ）は、大正一一年（一九二二年）ころ、それぞれ一五歳と一六歳で結婚生活に入った。吉行淳之介が生まれたのはその翌々年である。安久利は一七歳ほどで母となったわけである。

生活を支えたのは岡山市で土木建設業を成功させたエイスケの父だった。エイスケはアナーキズムやダダイズムの影響を受け、岡山に妻と子を残して上京した。それを追って母あぐりも生後一年にも満たない淳之介を祖父母に預けて上京し、美容師を目指してアメリカ帰りの山野千枝子の内弟子になる。

あぐりが上京してから五年の間、淳之介は祖母の盛代に連れられて岡山から東京に何度か通ったらしい。盛代自身の夫婦関係の悪さもあって、やがて二人は東京に転居する。昭和一〇年に妹の和子（後の女優吉行和子）が生まれるまで、淳之介は盛代との濃密な時間を過ごしたようだが、後年淳之介が描いた盛代のイメージはひどく暗い。

盛代は上京後まもなく四三歳で寝たきりになり、昭和一九年に五〇代で亡くなるまで、一三年間も寝床で過ごした。小説「暗い部屋」（昭和三二年・「別冊文芸春秋」、のちに「崖の下の家」と改題）では、「『気難しく』『気まぐれ』な『祖母』は、『強制し』、『怒鳴り』、『理不尽』なことを言っている。『私』はそれに『悩まされ』、『腹立たしさと、痛ましさと、滑稽さとを』感じ、『当惑し』、『憎』み、『反抗し』た。」（注三）

エッセイのなかでも、「外から見れば、私は山ノ手のお坊ちゃんで『お祖母さん子』ということになるが、実情はいささか違っていて、この祖母が私をしばしば殴る。足が立たないので、長いモノサシで隙を見て殴るのである。」（「幾つかの断片」）「私は自分が孤児のように育った人間だとおもっている。小説にも書いたことがあるが、小学校から帰るとランドセルを家の中に投げ込んで、塀や屋根に登ってしまい、そこで遊んでいた。人に馴れない野良猫のようなものだが、家の中には祖母がいた。」（「貰い下手」）と書いている。（注四）

要するに、放蕩してめったに帰宅しない父と仕事に打ち込む厳しい母とからの実質的ネグレクト、そして唯一の養育者として愛情をかけてくれるはずの祖母からは身体的・心理的虐待を受けて、淳之介少年は孤独に育った。

ウラ・きみがいま紹介してくれた事情から窺えるのは、幼少期から少年期にかけて、愛着理論がいうところの「安全基地」が失われていたということだ。さらには、こうして大人になった吉行淳之介には、アダルトチルドレンの要素もありそうだ。

しかし、ここで重要視したいのは、吉行が「焰の中」で、「母」に自分には「そういう一種の機能が欠けていた」、「インポテンツかもしれない」と言わせていることだ。「機能」とは男女関係を結ぶ要素、つまりエロス性の謂いであるだろう。あぐりとエイスケは淳之介の下に二人の娘をなしているのだから、実のあぐりにエロス性が全くなかったかどうかは疑問だ。だが、吉行は「欠けていた」と言わせている。

様々な女たちに性的関係を求めて止まない「私」あるいは吉行の性向は、川村が言うように「『母』とか『家』とかいう神話をその内部において無意味化しようとした」なんてふうに曲解すべきではなく、ひとまずは、子どものころに味わうことができなかった母性を希求する直截的な力動（それも随分と幼い力動）からきているとみるべきだ。「母」に欠けている「機能」とは、夫または男との間のエロス性であると同時に、「僕」にとってはそれ以上に母性の謂いであるだろう。

そして吉行の場合、この愛着の問題は、世俗的には次の三つのことから特有の固定的な感受性に繫がっているようにみえる。

ひとつは、「母」が「髪結い」、つまり戦前ではごく限られた存在であった〝キャリアウーマン〟だったこと。これは愛着形成の不全という問題に加えて、吉行淳之介の女性観に深く影響を与えているように見える。つまり、吉行は〝社会的地位と職業を持つ自立した女性〟に対するコンプレックスを抱いているようだ。この場合のコンプレックスは、そのような存在ではない女性、つまり専業主婦のように夫に経済生活を依存する女の嫌悪や忌避という形で現象している。吉行の小説の主人公たちはすべからく、女との生活を背負うことから逃げている。これは「母」的なものや「家庭」的なものの忌避に他ならないが、その忌避は母性的なもの否定ではなくて、むしろ〝そうではない「母」、そうではない「家庭」しか知らない〟というところから来ている。生歴への反抗じゃなく、一種の悲しい順応（ないしは過適応）だと見た方がいい。

ふたつは、少年期から思春期にかけての多感な時期に、障害者となりしかも精神が酷薄になった祖母から虐待を受け、それが忌避すべき血縁のトラウマとなったことだ。

そして三つめは、父であるケイスケによる心理的虐待によって、「父」という存在を忌避すべきものとして、おそらくは〝自分は誰かの父になってはいけない〟という形で心に刻んだことだ。ケイスケは、放蕩者でありがら、家に帰ってくると息子に身勝手な言行を押し付ける暴君のような存在だった。吉行は「砂の上の植物群」が父からの卒業論文であり、これを書いて「私は完全にふっ切れた」と言っているが、重要なのはそういう問題だろうか。「父」の拒否や否定から、あるいは「父」のトラウマから「卒業」したとしても、そもそもまともな父親がどうあるものか想像できないという問題は解決されない。（注五）

六　性愛の意味

エス・さて、だいぶ長い文章になってしまったので、ぼくらの話もそろそろ最後にしよう。ぼくらの見方では、「私」もしくは吉行淳之介は、精神の内部に深甚な空虚を抱えていた。その空虚がどこからきたものかは今きみが指摘したとおりだと思う。

かれはその空虚を、いわば〈前意識〉の領域では奔放な性的欲求の追求によって満たそうとしたが、〈無意識〉の領域では、その性的追求の代償として現れる堕胎や嬰児殺しや子捨てや奇形児・障害児の誕生など、有象無象の恐ろしい観念たちを次々に生成せしめ、それらへの畏怖によってその巨大な〝穴ぼこ〟を埋めようとしたかのようにみえる。そういう意味で「暗室」は、私小説的にみえながら一種の観念小説だというわけなんだね。

ウラ・この種の空虚は、性愛に伴う畏怖の観念では埋めることができない。むしろそれを埋めるのは、当たり前の話だが、性愛そのものだ。不倫をしようが買春を繰り返そうがＳＭをしようが、すべての価値は、つねに／すでに、性愛からしかやってこない。そして、「私」もしくは吉行のような人間でさえも性愛に救われることはできる。

性愛にともなう有象無象の恐ろしい観念たちから自由になることとは、それほど難しいことではない。身も蓋もない言い方に思われるかもしれないが、要するに閉経した女と交わればいいのだ。今回ぼくが読んだ範囲（昭和四〇年代までの小説）に限れば、吉行には閉経した女性との性愛を描いた作品はないようだった。むしろ、女の〝老い〟を〝醜〟としてネガティヴに描いている場面の方が目に付く。一方で、吉行淳之介は大塚英子と昭和四一年（吉行四二歳・大塚二八歳）から亡くなる平成六年（吉行七〇歳・大塚五六歳）まで愛人関係を継続している。

したがって問題は、〝閉経した年配の女性との性愛〟とは何か、ということだ。そこでは、男女関係において性交の占める比重が相対的に低下していく。にもかかわらず性愛が強化または維持されるとしたら、そこで関係を支えているのは〝性〟ではない方、つまり〝愛〟ということになる。この場合のそれはお互いがお互いを求める性向のことだが、成熟した性愛においては、〝愛〟という概念は〝かけがえのなさ〟という概念に近似していき、それに従ってさらにその女への敬愛つまり〝尊敬〟の念が忍び込んでくるのを避けられない。そして、この〝成熟した愛〟の成立のカギは、女の老いを魅力あるものとして感受できるかどうかにある。つまり、貪欲に性交を繰り返している若い時代から、女の身体の成熟過程にながく付き合いながら、そこに〝美〟を見出す感受性を育んできたかどうかという問題だ。

こういう意味で五〇代以降の「私」または吉行淳之介がどういう人間であったか、あるいは熟女になった大塚との生活がどんな「暗室」だったのか、ぼくらはもう想像することをしない。それは関心をもった読者が当たればいいことだ。（注六）

さて、いずれにしても昭和の文学というやつはいい気なもんだぜ。吉行作品に見えるような幼稚さや迷妄が純粋さと勘違いされて評価される。いろんな意味でため息がでるわけだよ。あっは。

（了）

【注】

一　高橋広満『吉行淳之介　人と文学』（勉誠出版・二〇〇七年）は、「砂の上の植物群」について、クレーの絵やクレーの絵画論（内的リアリズム）に共振した「現代実験芸術ともいえる小説である。」と述べている。

二　作品「暗室」における「暗室」の住人・夏枝のモデルとされる大塚英子は、銀座のホステスだったが、昭和四一年に街頭で偶然吉行と再会し、その日のうちに関係を持つ。このとき、吉行は四二歳直前、大塚は二八歳。昭和四五年にホステスを辞めてからは吉行から手当てをもらう愛人となり、平成六年に吉行ががんで死去するまで関係が続く。（高橋前掲書による）

三　高橋前掲書十二頁から孫引き。

四　高橋前掲書十三頁から孫引き。

五　吉行は父について、「性格はまさにダダ的で、猛烈なものであった。」「子供にとっては迷惑千万な父親で（中略）それは死ぬまでつづいた。たとえば、当人は岡山一中中退で、学歴無用論者であった。したがって、私にも上級学校へ行く必要はないと言い、行きたいなら一度だけ官立学校の受験を許すが、落第したら八百屋の小僧になれ、と言っていた。冗談とはおもえぬ迫力があり、私から生える芽を一つ一つ潰してゆこう、という身構えがあった。（中略）父が死んだ時には、正直なところ解放されてホッとする気持ちも強かった。やはり、かなり異常な父子関係といえるだろう。（中略）『砂の上の植物群』には、亡父からの卒業論文のような気持ちも含まれている。この作品を書いて、私は完全にふっ切れた。」と書いている。（『なんのせいか』昭和四三年・大光社）高橋前掲書一三〇頁から孫引き。

六　大塚英子は吉行の死後、吉行との関係を描いた文章を発表した。『「暗室」のなかで』（河出書房新社・平成七年）、『「暗室」のなかの吉行淳之介』（日本文芸社・平成一六年）にまとめられているという。（高橋前掲書による）

【参考文献】

一　『現代の文学19　吉行淳之介』（新潮社・昭和四七年）

二　高橋広満著『日本の作家一〇〇人　吉行淳之介　人と文学』（勉誠出版・二〇〇七年）※本文における年譜的情報はすべてこの文献に拠っている。

三　『川村湊自撰集　第三巻　現代文学編』（作品社・二〇一五年）「吉行淳之介の『街』」所収。

四　『群像日本の作家21　吉行淳之介』（小学館・一九九一年）この本には、吉行の自選として、短編「娼婦の部屋」「出口」「手品師」「鞄の中身」「三人の警官」の五作品が収録されている。

五　山本容朗著『人間・吉行淳之介』（文藝春秋・一九九五年）

9 草彅剛のヒトラー

ブレヒト劇 ―だれが、なにを、異化するのか―

エストラゴン・久しぶりだね。こうしてまたきみと話ができるのはうれしいよ。

ところで、今号はベルトルト・ブレヒトがお題だというので、わざわざ横浜まで出向いて神奈川芸術劇場主催の舞台「アルトゥロ・ウイの興隆」を観てきたという話じゃないか。

ウラジミール・二〇二〇年一月二〇日の公演を観てきた。この芝居は一月一一日から二月二日までの予定だったが、二三日と二四日の三公演は「出演者にインフルエンザの陽性反応がでた」という理由で中止になっている。船内でコロナウイルス集団感染が起こった大型クルーズ船「ダイヤモンド・プリンセス」が横浜に来港するのはこのすぐ後だ。

エス・草彅剛が主演だというのに、よくチケットが取れたねぇ。

ウラ・じつは、自分から観ようとしたわけじゃない。連合いが草彅剛のファンで、SMAP解散後に草彅たちが立ち上げた「新しい地図」というカンパニーのファンクラブ会員になっている。それで彼女が眉間に皺を寄せつつスマホを操作して、運よくチケットの抽選に当選したというわけさ。たしかに観客の九割以上が女性で、自分のようなおっさんは肩身が狭かったよ。

エス・ほんとうは、「ブレヒト」というお題をもらって、ブレヒトはお堅いイメージで理屈っぽそうだから芝居の感想でも書いてお茶を濁そうと思ったんだろう（笑）。

ウラ・そうそう。渡りに船ってつもりだったわけだが、この舞台を観て少しく考えさせられた。白井晃という演出家（当時、彼は神奈川芸術劇場の芸術監督でもあった）の舞台を観たのはたぶん初めてだったが、この演出家はナチスの興隆を描いたこのブレヒト劇に、なぜ熱烈なファンが押し掛ける〈草彅剛〉を起用したのか・・・、そんなことをぼんやりと考えながら、開演を待ったのだった。

エス・そういえばきみは、従前から役者・草彅剛を評価していたね。

ウラ・草彅剛については、連合いからいろいろと聞かされてきた。かつて彼が謹慎する羽目になった事件（全裸騒動）のことからＳＭＡＰ解散の経緯まで、いろいろとね。それに連合いの影響で、彼が主演のテレビドラマをまめに観ることにもなった。「任侠ヘルパー」（二〇〇九年）、「銭の戦争」（二〇一五年）などの演技は魅力的に視えたよ。ちなみに、ぼくは木村拓哉のドラマもテレビでよく観るが、ＳＭＡＰ解散騒動後、連合いは「キムタクは優等生で嫌いだ」と言って観ようとしない。連合いに言わせると、草彅は何をするかわからないところがあって、女性ファンが目を離せなくなるような存在らしい。

エス・さて、しかし、だ。草彅剛を主演に使えば客席は「つよポン」ファンで埋まることが分かっている。これは経営的な立場としては御の字かもしれないが、熱烈なファンが役者個人に魅かれて芝居を観に来てその存在にうっとりしたり、その演技を親心で見守ったりするのでは、〈異化効果〉によって芝居を観客に客観的・批評的に提示しようとするブレヒト的なドラマツルギーからして、まさに否定されるべき演劇ということになるのではないのか。この劇場には「興行主」はいるようだが、ほんとに「芸術監督」がいるのか、という話になる。

ウラ・そうなんだ。「役者・草彅剛」と彼が引き連れてくる「つよポン」ファンとをどのようにしたらブレヒト的な劇的乾坤に惹き込んで変化させられるか・・・それがこの白井晃という演出家の挑戦だったのだと思われてくる。たぶん、そこを視ようとしないとぼくらにとってこの舞台の価値は半減するだろう。

※　　　※

エス・ぼくらの議論に入る前に、この戯曲の背景や内容について少し説明しておこう。

「アルトゥロ・ウイの興隆」は、アメリカへ亡命する直前、一九四一年の三月から四月にかけて書かれた。ブレヒトは、三三年のナチスによる国会議事堂放火事件の翌日に亡命生活に入り、プラハ、ウィーン、チューリッヒ、パリを経て、デンマークのスヴェンボリに移住。三九年にスウェーデンのリンディゲー島に移り、四〇年にはヘルシンキに逃れている。アメリカへの亡命を求めていたがビザがなかなか下りず、四一年ころはヘルシンキの港町に仮寓していたようだ。この作品を書き上げてすぐ後、シベリア鉄道で極東を経由してアメリカに亡命することになる。

ヒトラーの興隆をギャングの世界の話として描くアイデアは、ブレヒトが三五年に「母」の上演でアメリカに招かれた際に思い付いたらしい。

この戯曲の概要を、岩淵達治著『ブレヒト』(清水書院・二〇一五年)の記述に基づきつつ、ぼくの補足・修正を加えて説明しておこう。( )内は歴史上の対応事項だ。

シカゴのギャング団(ナチス)の首領、アルトゥロ・ウイ(ヒトラー)は青果業のカリフラワー・トラスト(土地貴族「ユンカー」と実業家)の不況による困窮につけこみ、用心棒を買ってでるが相手にされない。青果業界は不況を切り抜けるため、港湾工事(農業安定のため)を口実に市の貸付(国の助成金)を受けようとする。しかし正直者で通った市会のボス、ドクズバロー(ドイツ大統領ヒンデンブルグ)は不正な貸付を認めないので、カリフラワー・トラストのフレークはウイと結び、シートの船会社を乗っ取り、その株を巧みにドクズバローに贈与して市の貸付を受ける。ウイは収賄をネタにドクズバローをゆすり、業界の用心棒になる条件で港湾工事汚職(ドイツ東部救済スキャンダル)をもみ消す。シートは口封じのために暗殺され、ウイたち（ナチス）を用心棒にすることを拒む業者の倉庫は放火（国会放火事件）される。ウイは後悔の中で死んだドクズバローの偽の遺言書を作って市政を乗っ取ると、隣町シセロ（オーストリア）の支配をも目論む。一方、ウイの手下に対立が起こったので、ウイはジーリー（ゲーリング）、ジボラ（ゲッペルス）と組んで乾分のローマ（ナチス突撃隊のレーム）を粛清する。次いでシセロの業界代表ダルフィート（ドルフース首相）を暗殺してシセロ市も手中に収め、さらに悪のシンジケートの範囲を広めようとする。

ウラ・白井晃演出のこの舞台では、まず開幕前（開幕といっても舞台全体を隠す幕は使用されないオープン・ステージだが）に目を引くのは舞台中央奥に設置されたバンドのステージ（人の背丈ほどの高さがあるワゴン）とその上に掲げられた電飾（「THE RISE OF ARTURO UI」の文字）だ。ここにファンクバンド「オーサカ＝モノレール」が陣取り、ジェイムス・ブラウンの曲を奏でるとともに、バンドのボーカルである中田亮が冒頭及び各場面の合間に口上を入れて芝居案内の弁士役を務める。観客は〝ゲロッパ〟でお馴染みの「Get Up（I Feel Like Being a）Sex Machine」でスタートするパワフルな演奏に直ちに魅了される。ここに早くも草彅が加わって、あの激しく、やせ細った肢体を弾けさせるダンスを見せる。

エス・この芝居が「観客の皆様、今日お目にかけるお芝居は―そこの後ろの方、お静かに！その若い女の方、帽子をお取りください―歴史的大スキャンダルの活劇であります。港湾救済工事にからんだ大スキャンダルの実相が暴露されるのはこれが始めてのこと・・・」と弁士の口上ではじまるのは脚本通りのようだが、ファンクバンドによるソウル・ミュージックの演奏（その中に主演の草彅もボーカルとして加わる）とプロの女性ダンサーたちのダンス（ここにも草彅が加わる）とをふんだんに差しはさんで展開されるショー・ビジネス的な光景は、白井演出のオリジナリティが発揮されているところだ。

また、ブレヒト劇のお決まりのツールとなっている「幻燈（スライド）による字幕解説」、「ワゴン式移動舞台（お立ち台のようなもの）」、「移動式大道具」などの装置も活用されている。スライド映写では、例えば「帝国大統領ヒンデンブルグに、地主の危機に関心をもってもらうために、土地貴族（ユンカー）たちは地所の一部を記念として贈呈する。」などの解説が表示され、劇中の登場人物ドクズバローがヒンデンブルグであり、カリフラワー・トラストの連中がユンカーであることが示される。また、ワゴン式移動舞台は高さや大きさの異なるそれを複数同時に配置することで、別々の場面を同時に見せることを狙ったものだ。

白井演出の舞台では、いまそこに展開しているソウル・ミュージックやスタイリッシュなダンスから受けるエンタメ性とスライド映写された史実を説明する字幕の叙事性のギャップが大きい。これも一種の〈異化効果〉を狙っているのだろうが、ぼくらが今エロス的な娯楽を享受している平穏な（あるいは爛熟した）日常の裏に、ひしひしとヤバい時代が忍び寄っているのだという暗示を受け取ることにもなる。

登場人物たちの衣装が、灰色を基調としていたというブレヒト演出とは異なり、赤で統一されているところも暗示的だ。ちなみに、この公演のパンフレットでは登場人物＝役者が全員この赤の舞台衣装姿で、しかも役になり切った切羽詰まった表情で紹介されている。加えて、これらの写真では（実際の舞台ではそうではないが）役者たちの顔には白墨が塗られている。役者の顔に白墨を塗るというメイクは、ブレヒトが「イングランド王エドワード二世の生涯」（一九二四年初演〉の演出において、恐怖におびえた兵士の表情を表すために採用したらしい。スタイリッシュな赤の衣装とナチスを象徴するような黒帯（バンド）、そして白墨が無造作に塗りたくられた顔は狂気や殺気を伝えてくる。

ウラ・ぼくがみるところ、この戯曲の筋立てで重要な点は三つ。それはウイたちギャング団（ナチス）が陰謀と脅迫と暴力（暗殺や放火）で権力者に食い込んだこと、そして青果業者たち（大衆）をも暴力もって脅迫しながら彼らの恐怖と〝長いものには巻かれろ〟という心理を利用して支持を固めていったこと、さらには脅迫や暴力で従属させられた者（暗殺されたダルフィートつまりオーストリア首相ドルフースの未亡人）が自分の本来の感情に反して大衆の前でウイ（ヒトラー）への支持を表明してしまうこと、この三つだ。

エス・ブレヒトは、「アルトゥロ・ウイの興隆」と言われているこの戯曲に、一九五三年の原稿では「アルトゥロ・ウイの抑えることもできた興隆」と題名を付けている。

自分自身が身の危険を感じて亡命生活に入ったこと、そしてそれが三三年の国会放火事件の翌日という「ナチス時代」の比較的早い時期であったことなどから、ブレヒトのヒトラーとナチスに対する見方は、まさに暴力と脅迫つまり恐怖によって勢力を伸ばしたギャング団というイメージになっている。

戯曲構成上も、陰謀、脅迫、懐柔、暗殺、掠奪、反抗者処刑（見せしめ）、など、それぞれの場面が歴史的事実と対応していることがはっきりとわかるように提示され、しかもその場面から次の場面への飛躍の間の事情がスライド字幕や口上で説明されていて、要するに〈叙事詩的演劇〉の建付けがしっかりしている。

ウラ・そこはたしかにそうなんだが、そこにこそぼくらがちょっと引っかかる部分がある。

ここでぼくらが改めて確認しておかなければならないのは、これは良くも悪しくもブレヒトらしいのだが、ナチの野蛮を前に、民衆が恐怖や御身可愛さでまともに闘わなかったことがドイツの歴史をこのような悲惨なものにしたのだという分析的な視角から、言い換えれば〝抑えることもできた〟という操作的または教育的な視角からこの作品が書かれているという点だ。

ウイ（ヒトラー）が大衆の前でどう振舞うか、その身のこなしや身振り手振り、そして演説の仕方を「田舎役者」に習う場面や、終幕でウイが熱烈に平和を語る演説の場面、つまりそれらをパロディとして描いている点にも、ブレヒトのナチスに関する評価が表れている。このことは、ブレヒトがナチス的現象を多角的に視ていなかったのではないか、つまりナチスが民衆を惹きつける要素や民衆が主体的にナチスを支持してしまう要素（とりわけ社会心理的な要素）に対する眼差しを欠いていたのではないかということを窺わせる。

※　※

ウラ・さて、ここまで「アルトゥロ・ウイの興隆」という戯曲の内容と白井演出の舞台についてかんたんに説明してきた。ここからは白井演出がぼくらにとってどんな問題を投げかけてきたか、いよいよそれについて考える段だ。

エス・その公演パンフに、白井晃は次のような文章を載せている。

「二〇一七年トランプ大統領が就任して以来、世界はあっという間に独裁政権を受け入れ、右にならえして孤立主義がまかり通る時代になってしまいました。この状況はヒトラーが台頭してきた二〇世紀前半の空気感に似ているようで、誰もが危機感を覚えています。にもかかわらず、これに抗う大きな変化が起こらず、この状況を人々が序々（ママ）に受け入れ始めている気がします。そんな時、何か大きな悲劇が起こるのではないかと不安でなりません。（中略）私たちは、今年二〇二〇年オリンピックを東京で迎えます。無意識のうちにこのお祭り騒ぎに煽られ、高揚感をもたされていきます。そして気がつけばいつの間にか、熱狂という病に冒されているのかもしれません。もし、熱狂の裏で、私たちが見逃している大きなうねりが進行していたら・・・。私は今回の舞台でこの熱狂を舞台上に作り上げ、みなさんに疑似的に体験してもらうことで、その恐ろしさを考える一助にしてもらえればと思っています。」

きみはこういう演出家の意図について、実際に舞台をみてどんなふうに受け止めたの？

ウラ・まず明らかなことは、ブレヒトがこの戯曲に込めたもの、すなわち恐怖で支配する邪悪な勢力に対してこれに早く気づいて立ち向かうことが必要だという観点と、ぼくらがいま置かれている状況において「熱狂という病」に社会を冒されぬようにしなければならないという白井の観点の違いだ。

そして、ここからすぐに合点がいくのは、白井がウイ役に草彅をもってきた狙いだ。

エス・ブレヒトにとっては、彼自身の亡命に至る経験から、ナチやそのプロパガンダに一般大衆が熱狂するようになる〈前〉が問題だった。しかし、白井においては、この「熱狂という病」は〈既に〉感染拡大しており、しかもひとびとは無意識のうちに罹患させられているから、現在において根本的に否定しきれるものではないとみなされているかのようだ。

ウラ・だから、劇場という時空に熱狂を「疑似的に」創りあげるために（というより寧ろ社会に潜航して存在している熱狂への無意識的な欲求を表面に浮き出させるために）、劇場を満席にして観客を熱狂させられる役者であり、かつは演技力がありしかも演じるときに狂気じみた表情や身振りを体現できる役者が、さらにいいかえれば強力な観客動員力と観衆の同調喚起力がありながら、異様な〝どこかイッちゃっている〟役者が必要だった。それが「つよポン」だったのさ。

このキャスティングの意図が見て取れるのは次の場面だ。シセロをわがものにしようとするウイが青果業者らを前に演説する。それを聴いていた青果業者たちの一部がウイを用心棒とすることに異議を唱えたためにウイの手下から銃殺される。この場面では役者たちが客席の通路のあちこちに入り込んでいて、観客全体がウイの招集した集会に臨場しているかのような演出がなされる。

ウイやその手下が客席に呼び掛け、ウイによる支配を支持する者は手を挙げるように促す。すると観客たちは歓喜の声を上げて挙手する。この場面で、白井が草彅剛を主演にした狙いが明らかになる。観客はそこにいる主導者が「ウイ」なのか「ヒトラー」なのか「つよポン」なのか不分明なまま、まるで催眠にかかったかのように声がけに応じて手を挙げるはずだ。

エス・そのとき、きみが視た客たちの様子はどうだった？　そしてきみの連合いはどんなふうだったんだ?

ウラ・ぼくはこの企みに気づいて、すぐに周りの客たちの様子を窺った。まわりはほとんどが女性客だ。これがＳＭＡＰあるいは「新しい地図」のステージだったらあられもなく熱狂して腕をかかげ、お目当てのメンバーの名を絶叫しそうな三〇代から六〇代のファンたちだ。おそらくは客の多くがウイらの呼びかけに応えて腕を突き上げているのではないかと思って見回したのだが、少しく予想と違って、歓喜して腕を上げている客は過半だが、全体が熱狂しているというほどの印象は受けなかった。呼応している客のなかにも、舞台を盛り上げるのに協力しなくちゃ、というような顔つきの者たちが見える。

ぼくの連合いはといえば、日ごろはこういう大勢への迎合がきらいな女なのだが、この場面では周りの客たちよりノリノリで反応していた。ぼくはこういう彼女を初めて見たから、少し引いてしまった。（苦笑）それで、後で訳を訊くと、演出の意図を汲んで「つよポンを盛り上げなきゃと思って」と言うのだった。

エス・まぁ、SMAP（の誰かの）ファンは誰しも、SMAP解散騒動を経験して以降、おそらくは以前のように他愛無い熱狂のなかに身を置くことはできなくなっているんじゃないか。そして「新しい地図」の発足は、ファンをこれまで以上に批評的にしているような気がする。

※　　　　※

ウラ・さて、この文章の題に沿って、そろそろまとめてみたい。

草彅剛の、エキセントリックで、残り僅かなチューブから精力を絞り出すような切羽詰まった演戯は、「蒲田行進曲」におけるつかこうへいの演出によって開眼されたものだということは、ぼくも聞き及んでいる。

でも、というか、だから、というか、草彅剛の風体や身振りや性向は向こう見ずに突っ走るギャング（それはいかにも〝つか的〟な存在だ）にはぴったりだが、どう見ても「独裁者ヒトラー」には馴染まない。ウイがヒトラーの表象であり、ウイを演じるのは「つよポン」であることはわかるが、「つよポン」がヒトラーを演じているようには見えないのだ。ここではすでに、一般的観客が支配されやすいスタニスラフスキー的な役者と役柄の関係性（役者がその役になり切ることが求められる）がずらされ、したがって登場人物が異化されてしまっている。

ウイはどこがどの程度ヒトラーの表象たりえているのか、「つよポン」はなぜこの役に抜擢されたのか、「つよポン」のどこにヒトラー的要素があるのか・・・等々、芝居を観る客はそんな面倒なことを何度も考えさせられる。

次に観客は、あの挙手と歓声による熱狂的な支持表明の場面で、いったい誰の支持を表明することを求められているのかわからなくなる。いま舞台上で演説しているウイという役柄になのか、それとも彼が表象するところの、いま・ここにおける独裁者（時空の支配者）になのか、それを演じている草彅剛という役者になのか、あるいは憧れの「つよポン」というタレントになのか・・・。

さらに観客は、ほかの観客に対しても複雑な想いを抱かざるを得ない。コンサートやファン感謝祭でのように他愛無く皆で歓声を上げていいのか、作劇の意図に協力するために他の客に同調して熱狂する大衆の役を演じればいいのか、気乗りはしないが「つよポン」の役を盛り立てようと親心を発揮するのか、それとも芝居とわかっていてもこれはどこか気味が悪いと思って手を窄めるのか・・・。

エス・きみは、白井晃演出ではブレヒトが目指した異化効果とそれによる教育的モチーフ（「それは抑えることもできた」）が、じつは幾重にも重層化され、しかも対自化されているといいたいんだね。

ウラ・それを可能にしているのは、ファンクバンドによるソウル・ミュージックや主演の草彅を含むダンサーたちによる洗練された踊りなどで構成されるエンタメ性と、やはり主演に草彅剛というコアな客層を強力に動員する役者を充てたことだ。このことはこの公演を両義的に規定する。粗雑な議論に見えるのを承知であえて言わせてもらえば、白井はブレヒト的な〈叙事詩的演劇〉の教育的機能（この場合はたとえば「忍び寄るファシズムへの警戒と早期予防の必要性の認識」を代入する）を効果的に発揮するために、人寄せ効果大の配役と脚色（つまりエンタメ性）を仕組んだ。しかし、このことは、たとえば「忍び寄るファシズムへの警戒と早期予防の必要性の認識」さえもがエンタメ性に包まれたカルチャー的（あるいはサブカルチャー的）なモードになることをも意味する。

　こうなると、ぼくらは何が危機で何が危機の演出なのか、どこが危機でどこからが危機でないのか、不分明な世界に置かれる。自分はどこで手を挙げ、どこで手を窄めるのか。自分ひとりで判断できないときはだれを見習えばいいのか。それがひどくわかりにくい帯域に入り込んでいる。

エス・さて、ぼくらの〈現在〉は、いまや東京オリンピックによる「熱狂という病」の心配をしているような状況ではなくなり（そもそも二度目の東京オリンピックに熱狂などしようがなかったのだが）、「新型コロナウイルス」による「パンデミックという恐怖」が支配する事態に立ち至っている。感染拡大防止のために「国民の一致団結」した「自粛」が求められる一方、個々人の行動データや画像が詳細に国家に把握され、それによって個々人が管理される。ひと昔前のＳＦ映画がすでに現実のものになっているが、それに異を唱える者は必ずしも多くない。

ウラ・現在のファシズムは、必ずしも多くの人にわかりやすい暴力、わかりやすい恐怖、手放しの総体的な熱狂、によって感染を拡大させるのではない。

　ぼくは、あのシーンで手を挙げてウイまたは「つよポン」への支持を表明すべきかどうか、個々に微妙な違いや迷いを見せていた観客たちの表情や身振りを思い浮かべる。どちらかと言えば観客たちは単純に熱狂しているのではなく、むしろ事情を踏まえて協力しようとしたり、やっぱりやめておこうと思ったりしている。それらの判断や行動はそれぞれにある意味で「適合的」であり、その限りで「正常」なのだが、このような個々の正常性の総体こそがぼくらの〈現在〉をもたらしている。

感染拡大防止のために「密閉・密集・密接の三密を避けて」と言われれば、これが会合を持つための注意事項であるのに、会合やイベント自体をすべて取りやめてしまう。「夜間」の「飲酒を伴う営業」を自粛するように宣言されれば、昼間の営業も自粛してしまう。学童クラブや保育所は「必要」だから止むを得ないが、学校は「不急不要」だから感染者が未だ見つかっていない市町村でも全校を一斉休校とする。これらの個々の対応が過剰反応だとは必ずしも言えない。ウイルスの感染拡大を抑制しようとしたらそれは「した方がいい」あるいは「しなければならない」ことに違いなさそうに思われてくる。このことに抗うのは容易ではない。この「正当性」、「正常性」、したがって「正統性」が〈現在〉を支配していく。「地獄への道は善意で舗装されている」というマルクスの警句を牽くまでもなく、ぼくらが直面しているのはこういう危機だ。

さて、そろそろ終わりにしよう。最後に「だれが、なにを、異化するのか」という提題に答えるとすれば、「ぼくは、きみたちすべてを、異化する」と言うほかない。

ぼくは、生起する事柄のすべてを叙事的に異化し、そのひとつひとつを自分で吟味していかなければならないのだと知る。(了)

【参考文献】

一　「ＫＡＡＴ　アウトゥロ・ウイの興隆」公演パンフレット（ＫＡＡＴ神奈川芸術劇場・二〇二〇年）
二　岩淵達治著『人と思想64　ブレヒト』（清水書院・二〇一五年新装版）
三　Ｍ・トス／文、Ｐ・ブシャニック／絵、『FOR BEGINNERS　ブレヒト』（現代書館・一九九八年）
四　戯曲「アウトゥロ・ウイの興隆」『ブレヒト戯曲全集六』（未来社・一九九九年）所収
五　千田是也・岩淵達治編・著『ブレヒト演劇入門―「肝っ玉おっ母とその子供たち」上演をめぐって―』（白水社・一九六七年）
六　「弁証法的劇作」「演劇のための小思考原理」『ブレヒト演劇論集Ⅰ』（河出書房新社・一九七三年）所収
七　Ｗ・ベンヤミン他著『ブレヒトの思い出』（法政大学出版局・一九八六年）

10

〈路上〉なんてものはない

─『イージー・ライダー』と『ノマドランド』にみる〈特権〉─

一　旅とは衝迫である

ながい間、気ままな一人旅をするのが夢だった。どこかで詩にも書いたが、いつかは野営や車中泊で当てのない旅をしたいと思っていたのだ。

しかし、あるとき偶然に、日本を半年かけて車で旅したという人の話す動画をYouTubeで見た。彼によれば、当てのない旅というのは、その日その日にどこに泊まるかをネットで検索したり現場で探したりすることに神経を使い、しかも移動自体に過半の時間を費やすので、本来の目的である人との触れ合いや風物から受ける感動の時間は旅している時間の一割にも満たない。人との出会いや有意義な体験を求めるなら、当て所ない旅などではなくて直截にそれらを探した方がずっといいと言う。

さて、一〇代の頃、バッグパッカーとなって北海道（一九七〇年代の北海道は輝いていた。）をひと月ほどかけて旅してみたいという希望を抱いていたのだが、そんな機会を持てないまま歳をとった。それで、五〇歳を過ぎてから昔の宿題を果たすかのようにJR東日本の「大人の休日倶楽部」の五日間JR乗り放題というパスを使い、二泊四日で道東（釧路湿原・知床半島）を一度、三泊四日で道北（サロベツ原野と稚内・旭川）を一度、ひとり訪ねたことがあった。夕方の仙山線普通列車で山形を発ち、仙台から新青森までは東北新幹線だが、青森からは深夜急行「はまなす」（北海道新幹線開通の二〇一六年三月に廃止）の「カーペット・シート」で七時間ほど揺られて津軽海峡を潜っていく。「カーペット・シート」というのは、カーペット敷きの床にごろ寝する寝台券不要の席で、安価なだけでなく今はなき青函連絡船への郷愁を掻き立てるので頗る人気が高かった。

しかし、これらの旅は綿密な乗り継ぎ計画で成り立っていて、列車やバスをたった一本逃しただけで旅の予定がすべて狂い、帰形予定日に山形に帰りつけないことになるというギチギチの旅だった。北海道の鉄道網は廃線に次ぐ廃線で最早スカスカだが、残った路線も便数が減ったうえ経営困窮によるメンテ不足なのか車両や施設設備の不具合で運航ダイヤが乱れやすい。そもそもこのパスの設定期間は通常の旅行客の閑散期つまりは天候が悪い時季なので、台風の影響等を受けるリスクが高い。さらにこのパス利用による北海道旅行は大人気で高齢の旅客が集中するから、後発便への予約の変更はほぼ不可能。自由席は通路も鮨詰めになる。要するに、時間と懐に余裕がない者にはヒヤヒヤの旅なのである。「五日間乗り放題」でも、二度とも四日の行程にしたのはこのためだ。

（あっは、これはすべてコロナ禍以前の話で、今やどこか別の世界の話のように思われてくる。）

ところで、東日本大震災から一〇年が経ったこの四月、コロナ禍の第四波襲来で首都圏には緊急事態宣言が発せられていた（つまり東北でも県境を越えて旅行することが憚られる状況だった）が、ふと思い立って福島県の浜通り（太平洋岸の地域）へ、ひとり車で一泊二日の旅に出た。とりあえず浪江町中心部を目指し、そこから国道六号でできるだけ福島第一原発に近づこうという旅である。

これまで、じぶんは原子力災害被災地域に足を踏み入れたことがなかった。あの災害が起こった二〇一一年三月、じぶんは山形県庁長寿社会課で介護保険制度担当の課長補佐をしていた。山形県内の地震による直截的被害はそれほどでもなかったが、直後から深刻な物資不足に見舞われた。山形県内陸部の物流の多くが仙台市内の流通拠点に依存していて、これが壊滅状態になった。しかも支援物資が向かう先はもっぱら太平洋沿岸部の被災地であったため（山形県はその支援拠点の役割を果たしたのだが）、山形県内には被災地以上に物資が入ってこない時期があった。まだ雪の季節だ。介護施設の暖房が切れ、流動食や胃ろうなどの経管栄養食も訪問看護のためのガソリンも底をついて、入所者も在宅の要介護者も命の危険に晒されていた。介護関係の事業所から県庁のじぶんのデスクの電話に悲鳴が殺到する。スーパーでは食品棚が空になり、やっと入荷した牛乳パックなどの食品は買い手一人に一個しか売ってもらえない。なんとか店員を説得してくれとグループホームの職員からSOSが寄せられる。じぶんはできる限りの対応をしたが、「県庁」の無力さを痛感せざるをえなかった。

針の筵に座ってから、つまり最初の地震から一〇日後の三月二〇日ころ、例年通り四月一日付の人事異動内示が発せられ（こんな非常時に人事異動かと訝しく思われるかもしれないが、退職者も新採者もいるから予定通り異動させないと職場が混乱する）、じぶんは県土整備部建築住宅課の総括課長補佐に異動することになった。内示が出るとすぐに県土整備部の次長室に呼び出され、直ちに宮城・福島・岩手の各県から被災者を受け入れるための応急仮設住宅（民間賃貸住宅・公務員宿舎等）の準備（住宅確保と事業スキームの策定）に加わるよう指示された。

県南の米沢市にある山形県置賜保健所に福島県から続々と被災者が押し寄せ、列を作ってガイガーカウンターで放射能測定を受けているという知らせを聞いたとき、〝まるで映画の世界じゃないか〟と慄然とした。じぶんは、「日本の原発では絶対に深刻な事故は起こらない」という洗脳教育を受け、スリーマイル後もチェルノブイリ後もそれを信じて疑わない世代のひとりだった。

早速、緊急に確保できた住宅のリストを揃えて山形市内の大規模避難所に窓口を開設したが、震災直後にやってきた被災者の多くは普通の精神状態ではなかった。また、放射能を恐れて福島県から山形県にやってくる「自主避難者」は途切れることがなく、母子の避難は学校が夏休みに入ると増加し、冬休みに入ってからも増え続けた。この受け入れ態勢整備を担当する建築住宅課の「非常時」は、こうして一年半も続いた。山形県から被災県へ派遣される職員ばかりでなく、支援のため労働組合員やボランティアとして現地に駆け付ける人々も少なからず周りにいたが、じぶんはそうできなかった。たとえば、気仙沼で被災住宅を建て替えている「山形県の建築業者」の工事の音が五月蝿いから静かにさせろという抗議の電話などにも対応しなければならなかった。建築住宅課の通常業務と避難者受入れ業務とで心理的に疲弊し、事態が落ち着いてからも、じぶんごときが今更行ってもやることはない、ということにしてその機会を一〇年も避け続けてきたのである。

さて話を戻すと、この一泊二日の自動車旅行も、何かに急かされるような道行きだった。とにかく放射線量の高い地域に踏み入ってみなければならない、というような。

「復興」しつつある福島県沿岸部は、その地域全体が工事現場のようで、未だに地に足のつかない騒々しさにつつまれている。相馬市尾浜の海水浴客や釣り客相手の安宿〈あの大津波で一階部分をやられた〉を予約し、とにかく夕方までそこに帰りつける範囲で行けるところまで行こう、と国道六号を南下した。空地の目立つ浪江駅周辺に立ち寄り、それから原発事故の資料館を探して「帰宅困難区域」を走るが、どこから曲がればいいか見つけられないまま、通りすぎたかなと思って脇道に停車すると、そこが福島第一原発への連絡路で、警備員のいるゲートが目の前なのだった。

いくつも写真に収めたい風景があったが、なぜか物見遊山のごとくスマホを向けることが憚られて、ただここに来たという証拠に陰鬱な浪江駅の駅舎の写真を一枚撮っただけで帰ってきた。こうして、じぶんの旅はいつも何かに衝迫され、じぶんが自分に課した独りよがりの宿題を踏査していく旅なのだ。（追記：二〇二二年三月一六日、相馬市等を震度6強の地震が襲い、尾浜地区はまた被害を受けた。）

二　『イージー☆ライダー』に〝時代的特権〟を視る

今回のお題「路上」について何か書こうと、二〇二〇年度のアカデミー賞作品賞を受賞した『ノマドランド』（クロエ・ジャオ監督、フランシス・マクドーマンド主演）を観た。たしかにいい作品だとは思ったが、作品賞としては少し物足りない感じがした。

それで、この作品を考えるうえで気になった『イージー☆ライダー』（デニス・ホッパー監督。一九六九年公開）のDVDをレンタルして観なおした。ネットで『イージー☆ライダー』の世代すなわち「ベビー・ブーマー」が歳をとった姿が『ノマドランド』に描かれている（映画批評家の町山智浩氏の指摘）という主旨の書き込みを見たのはそのあとだったが、さて、この二作品を合わせて観ると、どんな風景が現れるのだろう。【注意】これ以降は上記二作品の所謂「ネタばれ」の記述になるので、それでも読み進むかどうかは各自で判断されたい。

『イージー☆ライダー』について、ウィキペディアには「反体制的な若者2人がマリファナ商売で儲けた大金をタンクに隠し、真のアメリカを求めてオートバイで放浪の旅にでる二人のヒッピーを描いたもの。」と書かれている。（文章が変だがそのまま引用。）

二人とは、ピーター・フォンダ演じるワイアットとデニス・ホッパー演じるビリーのことだが、しかしこの二人はどう見ても「反体制的」には描かれていない。

また、大金を隠したタンクというのはハーレー・ダビッドソンを改造した「チョッパー」の燃料タンクのこと。かれらはカリフォルニア州からルイジアナ州ニューオリンズの「マルディグラ」（謝肉祭）を目指してバイクの旅に出る。ただし、これが「真のアメリカ」を求める旅だったか、そんなセリフがあったかどうかも筆者の記憶にはない。それに二人が「ヒッピー」だというのも疑問である。映画には二人が旅の途中でヒッピーの小さなコミュニティに立ち寄る場面も挿入されているが、そこで描かれているヒッピーたちの姿格好と雰囲気は二人のそれと乖離している。ワイアットはコミックヒーローの「キャプテン・アメリカ」の衣装のような星条旗のデザインがあしらわれた服やヘルメットを身に付けているし、ビリーはカウボーイのような衣服を纏っている。これらはアメリカの大衆的なアイコンであり、それゆえに多数派的なもののカリカチュアにみえる。

ところで、この作品には、はっきりと異和を印象付けるシーンがいくつか盛り込まれている。最初は、二人がパンクの修理に立ち寄った農民の家で、その家族とのランチに招かれているシーンだ。白人の夫にメスティーソのように見える妻、そして子沢山の家族。夫は自らカソリックだと言い、にやけた視線を妻に送る。つまり避妊や人口妊娠中絶を禁じられていて、その子沢山の家族は夫婦の盛んな性交の結果だと暗示される。二人は馳走になりながらもどこか居心地が悪そうだ。「農民」すなわち「定住」と「労働」、そして「家族」と「子ども」へ視線が異和を印象付ける。

次は二人がヒッピーのコミュニティを訪れるシーンだ。子どもを含むヒッピーたちは共同生活を送っているが、なかには絶え間なくマリファナを吸っている者たちや惰性的な即興劇を演じている者たちがいる。二人がヒッピーの共同生活の住居の中に招かれるシーンでは、「フリーセックス」

の表象なのか端の方で男女が慌てて服を身に付けるカットが挿入されている。かれらはその痩せた土地でうまく作物を耕作することができない。コミュニティを離れていく者がでているという主旨の会話も挿入される。このコミュニティで嫌われ仲間外れにされているかのように設定されている田舎者くさい男たちとビリーが揉めたため、ワイアットとビリーはそこを早々に出ていく。ヒッピーのコミュニティが、経済的基盤についても人間関係についても、ほとんど長期には維持できそうにないようなものとして描かれているのが印象的だ。

マルディグラを目指す二人は、途中の小さな町で日中のパレードに遭遇する。相好を崩した二人がそのパレードに参加するかのようにバイクに跨ったまま後ろを付いていくと、突然警官に拘束され留置所に入れられる。そこはすでに全き〈南部〉であり、カリフォルニアの自由な雰囲気を漂わせた二人は穢れた異物、住民に悪影響を及ぼしそうな脅威として排除されるのである。

この留置所で、しかしふたりは前夜の泥酔でトラ箱に保護されていた地元の弁護士ジョージ（ジャック・ニコルソン）と知り合い、かれの顔で釈放される。派手なスーツ姿のジョージも加わり、三人でマルディグラを目指す旅が始まるのだが、途中の町で立ち寄ったカフェで地元の住民たちから目をつけられ、野宿で就寝しているところをリンチ（棒のようなもので滅多打ち）されてジョージはそのまま死んでしまう。

ワイアットとビリーはジョージの想いを代行するかのように、かれが話していた別の町の売春宿を訪れ、そこで二人の娼婦たちと一緒にあのヒッピーコミュニティでもらったＬＳＤを飲み、暫しサイケデリックな幻覚の世界に浸る。

そして再びマルディグラを目指しロードを疾駆していくのだが、その結末は「ニューシネマ」の典型的なクライマックスとしてあまりに有名だ。ロードを走行中に並走して来た旧式トラック（それには二人のみすぼらしい地元の男たちが乗っている）から散弾銃の銃口を向けられ、それにビリーが中指を立てて応えるといきなり銃撃され、ビリーは転倒して地面に倒れる。先を走っていたワイアットはすぐに引き返してビリーに上着をかけるが、急いでトラックを追いかける。そして引き返してきたトラックからワイアットも銃撃され、バイクは転倒して火を噴くのである。

蛇足だが、町山氏がツイッター等で述べるところによれば、この作品は、①野外ロケ部分は照明を当てずマジックアワー（筆者註：日没前、日出後の数十分間の薄明の時間を指す撮影用語）の逆光を使って撮影するなど、自然の中に存在する人間を印象的に描く。（アリゾナ州モニュメントバレーと思われる場所で岩に立つ場面がとくに美しい。）②ロケ場面の登場人物の配役に役者ではなく地元の人物を当の本人役で起用する。という手法をアメリカ映画で初めて採り入れたものだという。そしてこの手法は『ノマドランド』でも採り入れられている。

じぶんとしては、先の農民の家族の顔がアップされる食事のシーンと、ヒッピーコミュニティのメンバーを横並びに立たせてその肖像をゆっくりとパンしていくシーンがとくに印象的だった。ヒッピーたちはすべて白人であるうえに男女共に都会的で端正な顔立ちで（それはあの農家の家族や南部の町の油ぎった野卑な市民や警官とは際立って異なる）、しかも空虚で陰鬱な表情をしている。

この作品の背景には、学生運動、公民権運動、ベトナム戦争に対する反戦運動、ヒッピームーブメントなどが盛り上がっていた時代性があり、また、それらが活発だった西海岸地域とそれに対して過剰に反動的・暴力的に反応してしまう南西部の保守的な地域の対立があると指摘されている。

筆者は、この作品のコアは次の二つだと思う。ひとつは、なぜワイアットとビリーが「マルディグラ」を目指して、自由ではあるが命を危険に晒す旅をしていくのか。そしてもう一つはなぜ最後に不条理な死（それは「ニューシネマ」の定番かもしれないが）を遂げるのか、言い換えれば作者たちはなぜ主人公を死なせるのか（正確に言えば死んだと思わせるのか）、ということだ。

「マルディグラ」（筆者はこれを中学生の頃、クリーデンス・クリアウォーター・リバイバルのラストアルバムの題名として記銘していたが）、それは大規模で賑やかな祝祭であり、しかも単なるカーニバルではなく、奴隷として連れてこられたアフリカ系やアメリカ原住民の子孫たちの祭りでもあるようだが、そこに何か人生の価値を喚起する契機や生の意味を確認できる至上の体験が待っているとは、どう考えても信じられない。

さて、ワイアットやビリーにとって、そして観客にとって、「マルディグラ」という〈祝祭〉を体験することは人生の〝当面の〟あるいは〝仮の〟目的であるだろう。なぜなら、〈祝祭〉はすべからくその祝祭の〝その後〟をカオスのなかに包み隠している。つまり「マルディグラ」は、人生に〝本当の〟目的や意味が見いだせないことの逆説的な表象なのだ。

では、この時代の所謂「ニューシネマ」は（『俺たちに明日はない』でも『明日に向かって撃て！』でもそうだが）、なぜ最後に主人公を死なせるのか。それは祝祭後の〝人生に意味が見いだせないから〟のように見えながら、ほんとうはそうではない。いや、〝人生に意味が見いだせない〟のはそのとおりだが、それゆえにこそこの映画的な〈死〉は、人生の意味を求めた志向性の破局のように見えながら、観客には逆にそのむこうのカオスの存在を感受させ、そのカオス後に不可視の可能性を夢想させるものだからだ。

仮構の世界（もしくは〝身近な他者〟の世界）で体験する残酷で不条理な死。なにか巨大なものにぶち当たって砕け散り途絶する生というイメージのモードこそが、じつはフェルトセンス（註）による現状の〈擬似的止揚〉とでも言うべき無意識的な向日性を帯びている。あの志向性の死は、あの志向性とともにその志向性がぶち当たるべき不可能性のカオスをも霧消させる。言い換えれば不可能性のカオスについて感受することを〝棚上げ〟し、カオスの存在をとりあえずエポケーすることをその人々にゆるす。ここでエポケーされた不可能性とは、もはやシニカルな可能性の謂いである。だから、あの時代の人々はカオスが霧消するとあっという間に変心して、シニシズムで粉飾したエクスキューズを振りまきながら「マイホーム主義」「モーレツ社員」「高度消費社会」などと言われた価値観の世界へ歩み出していけたのである。

身も蓋もない言い方をすれば、これが六〇年代後半から七〇年代前半の時代性であり、それを体現するベビーブーム世代（日本でいう「団塊の世代」）の特権的な属性なのだ。この時代の多くの作品（文学や演劇を含む）がこの特権的なモードを表象している。すぐ後ろの世代のじぶんは、この世代の〈特権〉をひどくアンビバレントに受け止めて来た。そして今は（遅れてきたのに何か勘違いして幾許かはその特権を夢想したじぶんをも含めて）心底〝いい気なもんだったなぁ〟と感じている。

て構成されている。

三 『ノマドランド』に〝強いられた尊厳〟を視る

『ノマドランド』は、うつくしく引き締まった倫理性の、けれどもだいぶ荒涼とした光景によって構成されている。

周知のように、この作品はノンフィクションライターのジェシカ・ブルーダーの著書『ノマド 漂流する高齢労働者たち』(二〇一八年・春秋社刊)に立脚している。原題はNomadland: Surviving America in the Twenty-First Centuryであり、直訳すれば「遊牧民の土地・二十一世紀に残存しているアメリカ」で、「遊牧民」とは「二十一世紀に生存し続けているアメリカ人」という意味になるだろう。ここでいう〝サヴァイヴィング〟とは、二〇〇八年前後のグレート・リセッション(大不況)すなわち「リーマン・ショック」等の経済危機を経て〝生き残っている〟という意味だ。つまり、サブプライムローンの破綻をはじめとして、経済危機で定職と住居を失い、車上生活を送りながら短期的な季節雇用の場を渡り歩くようになった人々(六〇代以降が多い)のことを指して「ノマド」と言っているのである。

例によってウィキペディア等によれば、この作品は主演のフランシス・マクドーマンド(彼女は漂流する車上生活に自由を夢見、ロマンを感じていた)がこのノンフィクションを読んで車上生活者の実像を知り、その経済的苦境と季節労働の劣悪な労働環境に衝撃を受けてこれを映画化する権利を手に入れたのだという。

物語は夫を亡くしたファーン(地元学校の元非正規教員で六〇代)が、それまで夫と暮らしていた家を手放し、想い出の家財を賃貸倉庫に預けて車上生活に出るところから始まる。その町、すなわちネバダ州エンパイアは実在の町で、ＵＳＧコーポレーションというアメリカ最大の石膏メーカーの企業城下町だったが、この工場が二〇一一年に閉鎖されると町自体がほとんど消失し、郵便番号も無くなったと言われている。

ファーンは、年季の入ったバンで雄大なアメリカの大地を移動し、車上生活を送りながら、Amazon の倉庫（クリスマス商戦の時期）やキャンプ場の清掃員（夏季）やファストフードの店員など季節労働の職場を渡り歩く。そしてそこでいくつかの出会いと別れを経験していくさまが、自然や風景の描写と相まってとても抒情的に、かつは孤高の姿として描かれている。

その孤高の姿とは、例えば次のようなシーンとして表されるものである。

① 年季の入ったバンが走行不能になって、その修理にだいぶ費用と時間を要するという事態に陥る。ファーンはその修理代を借用するため、さらには修理が終わるまでのねぐらを得るため、心ならずも妹の家を頼る。そこで妹の家族に暖かく迎えられ、妹には同居も勧められるのだが、ファーンはそれを断ってまた車上生活に戻る。ここで妹は、姉が車上生活を送っていることを不憫に思い、その理由を経済的困窮以外に思い浮かべることができないように描かれる。

② 季節就労先や後述する集会で知り合い親しくなった車上生活者のデイブ（彼はファーンに好意を抱く）に誘われて、彼の息子の家を訪れるシーン。デイブは息子夫妻に子どもができたとの知らせに息子の家を訪れ、やがて永い車上生活をやめて孫の世話をするために息子たちと同居することを選ぶ。そして、息子の家族にも受け入れられたファーンに自分と一緒にここで暮らしてほしいと告白する。ファーンがこれを受け入れないことは端（はな）から見えているが、この作品の優れた点は、ファーンの心象を風物の見せ方で表現しているところだ。霧に包まれた早朝に目が覚め、

ファーンがその家で宛がわれた個室を抜け出して家の周りを歩く場面のカメラワークがいい。そのシークエンスは、ファーンがこの家でデイブと暮らということの幸せを十分想像しつつも、敢えて定住を避ける決意をするという心の機微を伝えてくる。

③　ファーンは、車上生活の途中で決意したかようにエンパイアの荒れ果てた家に戻り、荒廃した様を目に焼き付けると賃貸倉庫に入れていた家財を処分する。このときわずかに思い出の皿を取り出して携帯するのだが、後述の集会に参加した際にデイブに誤ってその皿を割られ、あとでひとりそれを接着剤で補修する。ここで観客は、ファーンが過去の生活を処分しようとしつつも、なおも夫との記憶に執着しているかのような印象を受けるのだが、続いてファーンが改めて昔の写真を眺めるシーンが差し挟まれると、過去の記憶がファーンに郷愁を呼び起こしているのだと思いつつも、むしろそれ以上に〝過去の記憶が明確に存在すればひとは過去の記憶に縛られることなく生きていける〟という感受の表象を受け取る。

こうして、ファーンは家族や定住への契機を忌避しつつ、孤高を貫いて車上生活を続ける。だが、その過程は『イージー☆ライダー』のそれとはまったく異なる。この旅に目的地がなく生活の保障（及び保証）もないという意味では、それはたしかに「漂流」といえるのだが、道行きから視ればそれは放浪でも「漂流」でもない。それは季節労働の職とキャンピングカー・サイトを渡り歩く、いわば轍（わだち）ある〝周回〟なのだ。Amazon の物流センターで働く場面と以下に触れるノマドらのミーティングの場面は、その一年後という設定で再び描かれることになる。

さて、『ノマドランド』に『イージー☆ライダー』における「マルディグラ」と比較すべきものを探すとすれば、それは年に一度車上生活者が荒野に集う Rubber Tramp Rendezvous（ＲＴＲ）

というミーティングのイベントである。

この集会を主催するボブ・ウェルスは実在の人物であり、本人が実名で出演している。たしか（というのはこの点について映画を観たときの筆者の記憶が曖昧なため）、ボブは自分の子どもが薬物中毒になり自殺するのを止められなかったというトラウマを抱えていて、同じように苦しみを抱えた車上生活者たちの心の癒しのためにこのミーティングを開いているのだと語る。たしかに、参加者が自らのことを自由に語っていくこのミーティングは、緩いエンカウンター・グループに見える。

また、ＲＴＲのシーンでは、ファーンとデイブを除いてほとんど実在の人物が実名で登場しているという。ファーンが初めて参加した際に知り合った老女シャーリー・スワンキーは、進行ががんだが入院を拒否してノマドの生活を続けている。そして一年後の二度目のＲＴＲシーンではすでに亡くなり、その肖像写真が誰かの胸に抱えられている。（なお、シャーリーも実在の人物で、本人が本人役で出演しているが、実際は健在でいまも車上生活を続けているという。）

こうしてＲＴＲは癒しと心の解放のミーティングのようであり、ノマドたちの周回の、毎年の目的地のように見えるのでもあるが、それゆえにあの「マルディグラ」のような祝祭性（の幻想）を持ちえず、したがって破局もカタルシスも夢見られはしない。それはひたすら「漂流」が続くことを、つまりノマドたちが車上生活から抜けられないことを表象している。カオス（すなわち不可能性という可能性）のフェルトセンスは消え、大地の風景はひたすら即物性を際立たせ、季節労働の綱渡りが不可避的に課されていく。まさに〝自由〟、マルクスの言う〝フォーゲル・フライ〟（「鳥のように自由」、つまりどこへでも行けるがどこででも飢え死ぬことができる自由）な状況である。

映画『ノマドランド』は、この鳥のように自由なノマド生活を〝主体的に選び択られたもの〟と意味づけ、尊厳ある生き方として描いている。しかしそのことが、捻くれ者の筆者には、このグローバルな新自由主義下の〝フォーゲル・フライ〟を、東洋的な諸行無常（「犀の角のようにただ独り歩め」というスッタニパータの箴言を想起せよ）の如き箱に入れ、それをキリスト教的とも見える主体的求道の倫理の包装で宅配したものにみえる。中国出身でかつはもっぱら英米という新自由主義とキリスト教の文化圏で自己形成を遂げてきたクロエ・ジャオ監督の精神的背景から想像して、むべなるかな、ではある。

そしてこの作品が如何にもアメリカ的なのは、主人公をフランシス・マクドーマンドという〝つよい女〟（のイメージが定着している女優）が演じているところである。彼女が出演した作品を、筆者は『ファーゴ』（コーエン兄弟監督、一九九六年）と『スリー・ビルボード』（マーティン・マクドナー監督、二〇一七年）の二つしか覚えていないが（そのどちらでもアカデミー賞主演女優賞を受賞）、前者では殺人事件を解決する地元警察の、生真面目さを体現した女性警察署長（彼女は妊娠後期で随分お腹が大きいのにビシッと制服を着て捜査にやってくる）の役を演じ、後者では自分の娘がレイプされて殺されたのに犯人を見つけ出せない警察に怒りをぶつけ、警察署に火炎瓶で殴り込みをかける気丈な母親の役を演じていた。

四　〝特権〟は彼我の〈路上〉を消失させる

『イージー☆ライダー』では、ワイアットとビリーが南部の田舎町の市民たちに、ヒッピー、与太者、浮浪者、非道徳な害悪をもたらす者、麻薬中毒者、ゲイなどのスティグマを刻印され迫害される様が描かれていた。彼らはモーテルでも宿泊を拒絶され止む無く野宿の旅をするのだが、しかし、誘ってきた地元のティーンエージャーの女の子たちに愛想よく応えたり、銃口を向けられたのに「ファック！」という指サインを示したりして地元の住民たちを刺激して彼らに襲撃されるまでは、あの目立つチョッパーでも旅すること自体は可能だった。いうまでもなく彼らは白人だったからである。ヒッピーコミュニティのメンバーもすべて白人だったと思う。公民権運動の時代には有色人種が自由な放浪の旅にでること（ましてそのような設定の商業映画を創ること）など考えられなかったのだろう。

一方の『ノマドランド』でも、セリフのある登場人物はすべて白人だったように記憶している。車上生活をしながら季節労働の職を渡り歩く実在の「ノマド」たちも、その多くが白人だと言われている。二〇二〇年ミネソタ州ミネアポリスで起きた白人警官による黒人ジョージ・フロイド氏の殺害事件とその後のＢＬＭ運動を想起するまでもなく、生まれ育った町でさえもいかに警察や自警団に眼をつけられないように生活するかに細心の注意（例えば家の近くのコンビニに行くにもスーツを着ていく等）を払わなければならないという状況がそこここに存在するアメリカである。こうして、「新自由主義下の〝フォーゲル・フライ〟」は〝強いられた周回〟という側面を持ちながらも、それでさえ白人の特権なのだと、また彼ら彼女らが白人であるがゆえ可能な〝尊厳ある漂流〟なのだと識らされる。つまり、この特権のないものたちには、「ノマド」生活（つまり尊厳ある車上生活）は閉ざされているのであり、「ノマド」生活がここでいう〈路上〉の意味だとすれば、有色人種に〈路上〉は存在しない。

さて、ではこのじぶんはどうか。日本人であるじぶんが日本国内を気ままな野営や車中泊で旅するとして、キャンプ場以外で野営して警察から職務質問を受け、迷惑防止条例等で取り締まられることはあるにしても、その土地の住民から迫害される心配は左程ないだろう。（いや県外ナンバーだから「コロナ自警団」に危害を加えられる可能性はあるか・・・）それに、旅の途中での就労を、自ら望んでならすることがあるかもしれないが、それを強いられるような経済的事情も、今のところ幸いに、ない。

こう考えると、じぶんは随分な特権を持っているはずで、まさに〝いい気なもの〟なのだが、それでもなお、あの『ノマドランド』における〝周回〟の轍から自由だという気がしない。しかもそれは、あらゆる軛（くびき）から放たれることを目指して〝犀の角のようにただ独り歩め〟という自閉的な思想が、いまやさっぱり魅力的にも倫理的にも視えなくなっているのと何故か相即的だ。

じぶんは、かつては夢想した「マルディグラ」の如き仮構された〝仮の〟最終目的地も、RTRのような〝周回〟すべき癒しの地点も求めていないことに気づく。旅の意味、あるいは〈路上〉の意味はこうしてひどく霞んでいくのだが、その一方でじぶんの旅程はいつも、何かに課された卑小な宿題を、スモール・ステップを踏みながらクリアして行かなければならないのだという当為で敷きつめられている。

あっは、それでもきみが〈路上的なもの〉を希求するなら、それは路上にあるのではなく路上以外の時空、つまりはきみのこの定住ワーカーとしての日常のなかにあるだろう・・・。じぶんのフェルトセンスがどこかでそう呟いている。そしてその声を確かめたくて、じぶんは耳をば聳て、日々その方へ近寄っていくようなのだ。（了）

【註】 フェルトセンス（felt sense）とは、〈フォーカシング〉の創始者として有名な心理学者ユージン・ジェンドリンが唱えた概念。「まだ言葉にはなっていないけれど、たしかにわかっているもの」、「何か言葉にしようとするのだが最初はぼんやりした〝身体的な感覚〟としてだけ浮かんでくるもの」、「身体感覚レベルでの暗黙の理解」（implicit understanding）などと説明される。（諸富祥彦著『カール・ロジャース～カウンセリングの原点～』令和三年三月・角川選書から）

11　連合赤軍事件をどうとらえるか

―若松孝二監督作品「実録・連合赤軍」に触れて―

今年（二〇〇八年）の春、この映画を山形フォーラムで観て（上映に続いて若松孝二監督のトークや質疑応答もあった）、それについてなにかここに記そうとして、ずいぶんと時間が経った。この映画の印象を記すこと・・・それは、じぶんの、いわゆる「連合赤軍事件」についての考えを述べることを避けては考えられないのだった。

ずいぶん昔に読んだ笠井潔『テロルの現象学』を引っ張り出して、あれこれ考えながら読み直してみたが、映画「実録・連合赤軍」にも、『テロルの現象学』にも不満で、とうてい言いたいことを旨く言えるような気がしなかった。

そんなとき、奈良の安田有さんが主宰する『ｃｏｔｏ』16号が送られてきた。そこで安田さんの「『実録・連合赤軍』を観る」という文章に触れて、こうして少し書き付ける気になった。

安田さんは、森恒夫が同じ文学部の先輩だったということで、大学のキャンパスの芝生で森恒夫によく議論をふっかけていたとか、デモで一緒になったとか、そんな思い出を記している。

じぶんは、安田さんよりちょうど一〇歳年下で、ということは、いわゆる「全共闘世代」とか「団塊の世代」とかいわれるひとたちから一〇年遅れてきたということになる。一九七二年冬の「浅間山荘銃撃戦」を、中学生のじぶんもテレビで〃観戦〃した方だが、その印象は薄い。むしろ、「連合赤軍」という言葉を聴いてじぶんに浮かぶイメージは、掘り返された穴の底にテープで模られた人型の図形であり、東北の田舎町であるじぶんの故郷の、あるスーパーのレジにいるという陰気な女性の姿である。前者は〃総括〃へ至る思想的・心理的倒錯のひたすら暗いイメージを、後者は〃転向〃とその後の生活のイメージを表しているかもしれない。

六八年から始まる学生反乱の時代に、少しませた小学生のじぶんがどんな観念を抱いて生きていたかというと、それはだいぶ特殊な切迫感を伴ったものだったような気がする。

じぶんも、高校を出たらたぶん都会へ出て行く。そしてあの運動に加わる。学生時代の数年を闘争に捧げ、とにかくそこで命を燃焼させる。あとは、そこでほんとうに命を失うか、でなければ心身に大きなダメージを受けて廃人のようになるか・・・。助かったとしても、後の人生は余生として過ごす・・・これがじぶんの人生への展望だったのだ。

ちょうど戦中の少年団員が国のために特攻隊で死んでいく年長者を見ながら、じぶんも近い将来にそうするのだと希求するような想い込みがあったような気がする。その心的世界は、大江健三郎の小説「芽むしり仔撃ち」に表現されているものと近しい。

しかし、じぶんが大学へ入った七六年には、もう学生運動の退潮は決定的であり、党派も激しい内ゲバを経て大衆とはかけ離れたものになっていた。かろうじて成田闘争が盛り上がりを見せている風だったが、思想的に未熟なじぶんにも成田闘争が本質的には政治的にどんな意味ももたないものであることが見え透いていた。

いわば〝特攻隊観念〟(それは笠井のいう〈集合観念〉に近いが)を抱いていたじぶんは、決定的に時代遅れで、呆れるほど滑稽な存在だった。

「連合赤軍事件」といわれる連続同志殺害事件について、すこしはまともに考えてみたのは、三〇代も半ばを過ぎてからのことだったと思う。

永田洋子の『十六の墓標』上下巻を、少しずつ幾晩もかけて読み進み、笠井潔『テロルの現象学』にいう〈自己観念〉や〈党派観念〉について、じぶんの心理的な来歴と照らしながら考えを巡らすというような夜をいくつか過ごした。

安田さんは言っている。長い引用になるが、大事な部分なので許されたい。


「森恒夫は、共産主義化という純化された倫理に促されるように、総括という同志の処刑に手を染めていく。森は、まるで自らの持つ弱さと同じものを他者（同志）のなかに見出し、その弱さを殺す（つまり結果として他者を殺す）ことによって、指導者として自らがまず強くなろうとしたのだと、わたしには映った。山岳ベースという閉ざされた空間で集団催眠にかかったように歯止めなくリンチ殺人が繰り返されていく。明日の犠牲者はわが身かもしれないという不安や猜疑心に襲われながらも、全員が加担していく（加担しなければそれがまたそれが批判・総括の対象になる）。集団心理のおそろしい罠に嵌ったかのように。誰も逃げ出さそうとしない。組織（党）の維持、いやそれ以上に革命のため、銃撃戦のために、である。

浅間山荘に籠城しての銃撃戦が始まる。兵士の一人の、死んでいった者たちの分も銃撃戦で戦おう、という発言に反発して、一番年少の兵士（彼の兄も総括の犠牲者）が叫ぶシーンがある。『いまさらそんなこと言ったたって遅いんだよ！　みんな勇気がなかったんだ！』。

ここでの〈勇気〉とは森ら幹部を批判する勇気であり、リンチ殺人を身を挺して止める勇気であるだろう。また監督のメッセージが込められた叫びであるように思えた。（わたしはそこに逃亡する勇気、転向する勇気を付け加えたい気がする）。ではどうしてそのことが不可能であったのか。現在からはなかなか信じがたいことであるが、それは彼らが共産主義、党、革命そういった諸々の言説（イデオロギー）に深く縛られていたからである。つまり批判することが革命放棄につながる〈弱さ〉であると考え（心理規制）られたからである。」

ここに引用した安田さんの言葉は、いくつか勘所をついているように思われる。

〝勇気がなかった〟というのが監督の込めたメッセージだという指摘はそのとおりだ。若松監督自身がそう発言している。そして、事件に関しても、たしかにそこはそのとおりなのだろうと思う。

さて、映画に併せて刊行された書籍『若松孝二　実録・連合赤軍　あさま山荘への道程』（朝日新聞出版）には、「総括」の具体的な過程が整理されて記録されている。

「総括」は、それがエスカレートしていく過程で次第に政治思想的な意義を失い、また裏切り者の抹殺という実際的意味さえも逸脱して、異常な集団心理、精神分析的な源をもつかのような転移的私怨、さらにはＳＭ的な色彩をさえ帯びてくる。スターリン主義的な党派観念の下での恐怖や思考停止による追従も、もちろん大きな要因だ。当然、森や永田の個人的資質の影響も少なくないだろう。けれど、若松監督の映画作品としての「実録・連合赤軍」は、この事件の本質をいまひとつ明らかにできていない。

若松監督の発言を聞いていると（それは山形フォーラムにおける上映後のトークでも、上記の書籍に収められた対談でも同じだが）、簡単に括ってしまえば、かれは連合赤軍事件を以下のように総括しているようにみえる。

つまり、かれら連合赤軍の若者たちは、まじめに社会変革に取り組もうとして、道を誤ったのだ。それは、ひとつには指導者が悪かったからだ。（なにしろ赤軍派の幹部は一連の「連合赤軍事件」以前に行われた大菩薩峠の訓練の際にほとんど逮捕されてしまっていた。）そして、〝カミソリ〟後藤田正晴警察庁長官が率いる警察権力のシナリオに従って泳がされ追い詰められ異常な心理状態に至らされて、結局は「左翼は悪い奴らだ」という印象付けのために利用されたのだ・・・と。

このことを踏まえて、若松監督は、あさま山荘で少年に叫ばせるセリフに、集団心理に身を任せることなく、恐怖を乗り越え、勇気をもって本当の闘いへ向かえというメッセージを込めている。


じぶんは、この見方はあまりに薄っぺらだと思う。ただし、この映画にその視線がみてとれるように、当時の若者たちを抱擁しようとし、それを後代に伝えようとする（団塊の世代より上の）年長者の存在は、この時代にあっては、とても貴重だとも思う。

それを感じ取った上で、あえて奇妙な言い方で言わせてもらえば、連続リンチ殺人事件としての連合赤軍事件の本質は、一生懸命お勉強をして大学に入った生真面目な、そして不器用な人間たちによって引き起こされたところに存在するのだ。つまり、若松監督のような、良い意味で自由人的な感性と経歴の持ち主には理解できない部分がある。そこのところこそが問題なのだ。


ところで、安田さんは、その暗い部分を、引用部の最後のところで指摘している。

かれらはイデオロギーに縛られていたからだ・・・と。

でも、やはり、これだけではまだ足りない。

なぜ〝共産主義化〟という観念が生まれたのか。

共産主義化とは、じぶんなりに言い直すと、暴力革命の達成という目的のために、党と党員個々人を、現在の支配権力（というよりはむしろ自分たちをめぐる状況）に〝絶対に負けない〟強固な心身として組織することだ。

しかし当面は、党派としては敵に対して物理的にまったく敵わないし、党員個々人だってサイボーグ００９みたいに超人的な身体能力を持てるわけではないのだから、共産主義化とはようするに、精神的に強くなること、そして強くなれるという信念を持ち続けることなのだ。

圧倒的に不利な状況のなかで、拠るべきもの…それは、日本人（というかアジア人）お得意の、集団的精神主義だ。だが、笠井潔がいうように、その精神主義が、〝弁証法〟という心理機制をもっていたところが、より深刻な事態を招いたのだと思う。

そう。笠井は、たしかに「弁証法」という言葉を使っていたと思う。

弁証法とは、もっと多様で豊かな方法であり、ここで過ちの根源みたいに指名手配するのは可哀想だが、しかし、この言葉（のここでの用法）は、たしかに旨く連合赤軍事件の心理機制や観念の肥大化の在り様を言い表していると思われる。

論旨が混乱するので、もう笠井の『テロルの現象学』には拠らない。

「弁証法」ということばで言い表されようとしていることは、程度の低いオツムを捻ってじぶんなりに述べてみれば、以下のような事情だ。

ここで弁証法とは、一言でいえば、対立物あるいはこちらを否定してくる要素を自らに取り込んで、それを飲み込みながら肥大化していく観念の運動性である。するとこの場合、対立物、否定要素とは何であったか・・・。

「総括」は、まず、銃の扱い方がぞんざいだとか、山越えの際に水筒を忘れてきたとかいうミスに対して始められる。次に、化粧をしているとか、男女関係があるとか、戦士としての気の緩みに向けられる。また、警察に逮捕されたときの対応だとか、幹部の意向に沿わなかったとか、逃亡の恐れがあるとか、他者の総括＝リンチに真剣に取り組まなかったとかを理由として、いわば組織統制のために行われる。そして、やがて指導部を裏切る可能性のある者（つまり、かつて現在の指導部に成り代ろうと考えたことがある者）への〃粛清〃（処刑）に至る。

「総括」は、まず言葉による告発により、次に正座や労役という教育的強制により始まるが、やがて運動部的な暴力による〃カツ〃入れへと強化され、次にロープによる拘束と野外への放置という制裁へとエスカレートする。さらにその先に、指導者の明確な意図により行われた処刑すなわち粛清があった。「共産主義化」を勝ち取るための「同志的援助」として始まったはずの「総括」は、制裁の意図と未必の故意による刑死、そしてはっきりとした殺害の意図をもった粛清まで、不分明に繋がっている。

安田さんは、森恒夫は、自分の弱さを他者に見て、他者の弱さを潰すことで自らが共産主義化を成し遂げようとしたのだと言う。しかし、じぶんなりに言い換えれば、森は（そして積極的に「総括」に加担した者たちは）じぶんの弱さを相手に見ていたばかりではない。相手の弱さを観念化し、じぶんに取り込もうとしていたのである。

他者の弱さという対立物や否定要素は、やがて自らに取り込まれ、「総括」によって乗り越えられる。しかし、ここでその観念の倒錯的な運動が止まることはない。共産主義化という弁証法的性向は、その肥大化・汎溢化の性向によって、次の対立物、否定要素を探し続けなければならない。たぶん、次なる対立物は、目前で呻き苦しむ人間に対して抱く同情や憐憫や迷いであるだろう。そしてやがては、それらに考慮を払わず、「総括」や粛清で同志の命を奪っていく党の苛酷さや穢れ・・・それらの否定的要素さえもがこの弁証法的性向の養分とされていく。

これからは「銃による殲滅戦」を戦わなければならない。人の死という対立物(敵と味方の両方の死)を乗り越えなければならない。いわば、それらの対立物や否定要素を血肉化し、自らに取り込んで自分を豊饒化し、強化するのだという、その観念的自己膨化・・・。

たしか、妊婦だったある女性同志を「総括死」させるところで、その女性が「総括」に耐えられずに敗北死するのは彼女が弱かったからだが、その胎児は彼女とは関係ない(彼女のものではない=〝われわれ〟のものである)から、彼女の胎内から〝奪還〟しようとする場面が(たぶん『十六の墓標』に)あったと思う。

この場面はとても象徴的だ。観念の弁証法的な自己膨化は、自他の世界の区別、可能性と不可能性の区別を、〝止揚〟している。

指導部のナンバー1であった森恒夫と、ナンバー2であった永田洋子の「共産主義化のための〝結婚〟」も、その視点から捉えられる。森には妻子がおり、永田も連合赤軍として行動を共にしていた坂口弘を夫としていた。世間的に言えば、W不倫の末の略奪婚ということになるが、これを倫理的な観点から批判しても無意味であり、他の同志の恋愛関係を「総括」の理由にしてきたくせに・・・と、そのダブル・スタンダードを批判しても詮無いことだ。ここでは、革命党の指導者としての存在たる二人と男女関係にある二人との対立が〝止揚〟されている。

観念が、すべての対立物、否定的要素を飲み込んで、肥大化している。

連合赤軍がやっていることは、山の中を逃げ歩き、次々と同志を殺し、その死体を埋めることだけだ。だがこの観念の弁証法的な自己膨化により、自他の世界は輪郭を失い、内向的〝革命〟が進行する。・・・観念にとって、革命とは、すべてを奪取することだから。

連合赤軍事件は、このことを、まるで実験室で行われたモンスター・スタディのように表現してしまったのである。

ここで私が書き記したことは、たぶん多くの人には、理解されないだろうし、むしろ理解されない方がいい。また、笠井潔の「弁証法」に関する論及を、じぶんなりに勝手に敷衍（歪曲?）して述べているので、できれば『テロルの現象学~観念批判論序説~』（一九八四年・作品社）に直截あたってみてほしい。それから、これもあえて記すが、永田洋子の『十六の墓標』は日本文学史に残すべき作品だと思う。

かく言う私は、けれど、どちらももう読み直す気になれないのだが・・・。（了）

12　極私的「戦後民主主義教育」論

—原武史著『滝山コミューン一九七四』をめぐって—

原武史著『滝山コミューン一九七四』（二〇〇七年・講談社）を読み、さまざまな想いが過ぎった。

著者は一九六二年生まれ。慶応義塾の中学・高校を経て東大で日本政治思想史を専攻し、明治学院大学（当時）の教授を務めている。

この作品は、学者としての著作というのではなく、東久留米市立第七小学校における中・高学年時代を振り返った、いわば自らの過去たる〝歴史〟の証言、そして自らの過去の対自化の記録である。

西武新宿線の花小金井駅を最寄り駅とする東久留米市滝山地区。そこに一九六八年から七〇年にかけて建設された総戸数三、一八〇戸の滝山団地で、著者は小学校一年から中学校一年までを過ごした。革新都政が支持を集め、総選挙では多摩地区で日本共産党の候補者がトップ当選し、国会で「保革伯仲」の状況が生まれた時代である。

「私が小学校六年生になった一九七四年、七小を舞台に、全共闘世代の教員と滝山団地に住む児童、そして七小の改革に立ち上がったその母親たちをおもな主人公とする、一つの地域共同体が形成された。たしかにごく一時的な現象ではあったけれども、『政治の季節』は、舞台を都心や山荘から郊外の団地へと移しながら、七二年以降もなお続いていたと見ることもできるのである。」

著者は、「国家権力からの自立と、児童を主権者とする民主的な学園の確立を目指したその地域共同体」を、「いささかの思い入れ」を込めて「滝山コミューン」と呼び、そこで生きた自分の「暗く苦いものとして、にもかかわらず奇妙な懐かしさを伴わずにはいられないものとして、この三十年間、ずっと奥底に沈殿したままになっている」記憶をたどり、史料やインタビューを集めて、高度経済成長期のある時期の、東京郊外における、その〝歴史〟を記録しようとしている。

じぶんの印象を初手から述べてしまえば、この著作を読んで、ここに「滝山コミューン」と呼ぶに値する何かが存在したと説得される内実は記述されていない。主に記述されているのは、日教組の全国生活指導研究協議会（全生研）の方針による学級づくり・学校づくりを目指す片山（仮名）という教師に主導された児童たちの学校行事をめぐる集団主義的な運動、それもこの学校において著者の属した学年で一時的に生成したところの「歴史」である。（初めにPTAの話がでてくるが、そのPTAの実態は殊更「集団主義的」などと言上げするほどのものではない。）

ただし、勉学に秀で、早熟で自我に目覚めつつあったこの著者にとっては、そこで与えられた「トラウマ」の重さと「奇妙な懐かしさ」は、その記憶の対象物をして「滝山コミューン」と名づけさせるのに十分であり、その想いは、ほんの少しだけ似た経験をしているじぶんには、なぜかとてもよくわかるような気がする。

彼は、小学校では集団主義に反発し、休日には一流大学への進学のために有名進学塾に通って中学受験を目指す。彼にとって受験勉強のために通う塾は息抜きの場であり、塾に通うために乗る電車たちは限りない興味の対象である。そして、彼はまた、すでに「なぜ自分は存在するのか」という自我意識に苛まれる思春期を生きはじめてもいた。その多感な思春期の想いがよく伝わってくる。

一方で、「奇妙な懐かしさ」は、自分の学年が卒業すると、その「コミューン」があっという間に崩壊したこと、さらには、当時進んで「民主集中制」的な児童会活動を担っていたはずの同級生たちが、十一年後の同窓会で再会してみると、その活動の記憶をほとんど喪失していることにも起因している。

こうして不惑の歳を越えた著者は、今のうちに「歴史」の証言をまとめておかなければと衝迫され、この著作を記した。・・・事情はこういうことである。

この著作でもっとも印象的なのは、著述時に四〇代の半ばで大学教授となっている著者と、この物語に登場する小学時代の著者の精神的な在り様がほぼ同置されていることである。言い換えると、ここに登場する子どもたちはぜんぜん子どもらしくない。このことを逆に言えば、著者にとっては、あのときの小学生たちは、精神的な位相としては、いま（＝著作時）の自分と同じ位相に存在しているのだ。端的に言えば、この人はかつての小学生だった自分やその自分が見ていた同級生たちとの距離が取れていない・・・そういう印象がやってくる。だが、そういう印象が、通常とは逆に、不思議にもこの著作に陰影と奥行きとを与えている。

著者は、このなかで、遠山啓の「水道方式」の教条化に象徴される「平等」主義的学校教育及び「班」の運営とその競争主義を基本とした学級運営、そしてその班活動を統率する民主集中制的な児童会活動を中心とした集団主義を言上げしつつ、これを嫌悪し拒否してきた自分のアイデンティティを表白している。

しかし、その一方で、この嫌悪すべき「コミューン」を、慶応義塾という名門私立中学に合格することによって脱出し、同時に「西武新宿線」沿線から「東急東横線」沿線に引越し、ようするに〝慶応的なるもの〟に身を任せてきた中学・高校時代について、次のようにも述べている。

「七五年三月まであれほど鮮明だった私の記憶は、慶応に入学するとともにしだいに曖昧になり、いまでは自分が慶応に通っていた過去をもっていること自体が信じられなくなっている。」

一九九〇年代まで、「日の丸」「君が代」の強制に対する拒否という形で、かろうじて教育現場に残存してきた七〇年代の精神遺産は、石原都政による「日の丸」「君が代」の強制で一掃された。著者は、七〇年代の「民主集中制」的な学級運営と学校経営の運動が、戦前の国歌総動員体制における運動と相似形であることを指摘しつつ、教育政策の保守化後の状況を受けて、あえて次のように問う。

「二〇〇六年一二月に教育基本法が改正される根拠となったのは、GHQの干渉を受けて制定されたために『個人の尊厳』を強調しすぎた結果、個人と国家や伝統との結びつきがあいまいになり、戦後教育の荒廃を招いたという歴史観であった。だが、果たして、旧教育基本法のもとで『個人の尊厳』は強調されてきたのか。問い直されるべきなのは、教育基本法の中身よりも、むしろこのような歴史観そのものではなかったか。」

さて、このことに関して、ここからはじぶんの体験を記すことからアプローチしてみたい。

じぶんは、原武史氏より五歳ほど年上で、一九五七年年生まれである。ちょうど東京オリンピックの年に小学校に入学した。じぶんの家では、オリンピックを観るために、この年にテレビ（一八型の白黒テレビ）を初めて購入した。このときの記憶はとても鮮明である。

生まれ育ったのは東北の農村部の小さな城下町の商店街で、団地など存在しない地域だった。東北はまだ首都圏への出稼ぎで暮らしをたて、集団就職も行われていた時代である。ちなみに、じぶんの中学三年時（一九七三年三月）のクラスの記録を見ると、卒業時に同級生の約一五％が中卒で就職していた。東北という当時の後進地であることや旧い城下町であったことから、地域には前近代的社会秩序が残存し、社会階級による貧富や身分の格差が小さくなかった。教師たちには、当然ながら「全共闘世代」はまだ存在しておらず、「六〇年安保世代」もいなかったように思う。

しかし、この小学校高学年時代（一九六七〜六九年）に、じぶんも担任の教師によってトラウマとなる強烈な「戦後教育」の経験をもった。

担任の教師は五〇代の独身女性だった。じぶんたちはその先生を、畏敬と卑下と愛着の入り混じった想いで、陰で「タツコばんば」（「たつこ婆さん」または「たつこババァ」の謂い）と呼んでいた。（タツコは仮名）

彼女は、まさに「班活動」を中心とした学級運営と「連帯責任」を強調した教育を強烈に実践していた。教育態度は厳しく、自分と生徒たちの課題の実行に対する妥協を許さなかった。当時、彼女が、生徒であるじぶんたちに、ことあるごとに語ったのは次のようなことだった。

① 自分は、戦前の教員生活で、国家主義・軍国主義の教育をして、子どもたちを戦場に送ってきた。戦争は二度と起こしてはならない。自分の過ちを決して繰り返さないと誓って戦後の教育現場に立っている。

② 日本は、戦争でアジアの人々に酷い仕打ちをした。国民も大変な苦難を経験した。日本はこ

の反省にたって二度と戦争をしないということを誓い、日本国憲法を掲げて戦後を歩みだした。

③　しかし、自民党は戦前の国家主義的な体制に戻すことを画策しており、いま、日本はアメリカの支配のもとで、再び戦争に駆り出されようとしている。

④　歴史を振り返ると、君主制によって民衆は弾圧され支配されてきたが、日本の君主つまり天皇は他国のそれとはまったく異なり、歴史的に強権的な支配を行ってこなかった。天皇に戦争責任はない。悪いのは東条英機ら軍部だった。

⑤　アメリカは民衆を搾取する資本家階級による世界支配をもくろむ勢力であり、ソ連などの「社会主義」国は民衆の平等と民主主義を広めようとする勢力である。

じぶんは自分の家族から、彼女が日本共産党の党員だと聞いていた。たぶん日教組の組合員でもあっただろうが、彼女の思想は、いわゆる「反米愛国」、ソ連型社会主義の理想化、そして天皇への敬愛というような要素で構成されていた。そして、全体としてみればその心性は、じつは彼女が猛省したと語っていた戦前の国家社会主義的なイデオロギーと大して変わらないものだったように思われる。

じぶんの経験に照らせば、保守派が批判する「戦後民主主義教育」の実態は、その基底部分で戦前・戦中的なものと通底する集団主義的な心性に支えられたものだった。原氏の言うように、「戦後民主主義教育」が「『個人の尊厳』を強調しすぎた結果、個人と国家や伝統との結びつきがあいまいになり、戦後教育の荒廃を招いたという歴史観」は多分に疑わしい。

さて、では、じぶんはなぜ「タツコばんば」に〝トラウマ〟を植えつけられたように思うのか。

それは、まさに彼女の展開する「班活動」の先にある、ある特殊な事情によっていた。

タツコばんばは、まずクラスを五人ないし六人ごとの班に編成した。班長は、最初は先生が指名したが、次からはクラスの生徒が自ら選出する方式とされた。立候補（立候補者が足りなければ他薦）とクラスの全員による承認という手続きを経て班長が決まると、班長が集まって各班の班員を決める。クラスメイトの一人ひとりについて、学業成績や運動能力、そして生活態度、性格などを評価し、その組合せを考えて各班の運営がうまくいくように割り振るのである。

問題児をどの班長が引き受けるか、そして問題児を引き受ける見返りにどの程度優秀な班員を配属するかなど、すべてを班長たちが協議して決めた。特徴的だったのは、このとき問題児と看做されていた者や学業成績が下位の者も班長になる場合があったことだ。

みんなが平等に班長という大役を担う点は進歩的に見えるし、なによりしばしば学級委員（いわゆる級長）をやらされていたじぶんにとっては楽な面があるのだったのだが、一方でじぶんはこの班制度に異和を感じるようになっていった。

班員を振り分ける過程で、班長たちがクラスメイト一人ひとりに評価付けをしていく。しかも、この子は性格的に弱いし学力もないから、こちらの子をサポート役につけて。こいつはいじめっ子だから、いじめられっ子のこの子とは離して。・・・などと、気がつけば管理者あるいは経営者の立場で級友を見るようになっていることに生理的な嫌悪感を抱くようになったのだ。

班員は、すべての活動において連帯責任を負わされた。机はいつも班ごとに班員が向き合う形で並べられていた。勉強についていけない者がいれば、班員の誰かが教えた。

また、このような集団主義と平等主義は、学級レベルでも徹底されていた。たとえば、リコーダーである曲の演奏をマスターする課題が与えられたとする。一人ずつタツコばんばの前に行って演奏し「合格」の認証をもらわなければならないのだが、どうしても途中でピーと穴をうまく塞げず異音を出したり、暗譜ができずに引っかかる者がいる。

最後の一人が試験をパスするまで、クラスの全員が教室に残らねばならなかった。そもそもタツコばんばの授業では、あらかじめ決められていた時間割などにはほとんど頓着せず、とにかく彼女が納得するまでその科目の授業が続けられた。社会科の授業が三時間も休み時間なしで続くこともあったし、リコーダーのときは夜の七時か八時まで全員が教室に残され、親が迎えに来たものだった。付言しておくと、この「平等」主義は、軽薄な保守派が「民主教育」を非難する際にこれ見よがしに挙げる「運動会の競走で順位付けを避ける」などいう「平等」主義とはまったく異なるものだった。一定水準以上の結果に到達するまで、すべての個人が相応の努力を厳しく迫られ、すべての構成員がその経過に付き合わされるという「平等」主義であった。

児童会が関わる行事を重視するという点は、原氏の学校と同じだった。しかし、じぶんのトラウマは、児童が自ら積極的に行う集団主義的な行動や民主集中制的な組織運営、あるいは同氏の著書に出てくる「追求」によるものとは違っていた。

それは、一にかかって、タツコばんばによるじぶん個人への責任の賦課とその厳しさによるものだった。タツコばんばは、学級の誰かが失敗したり先生の指示に従わなかったりしたことについて、ほとんどつねに学級委員であるじぶんの責任を追及してきた。たとえば、学校行事でスキー場にスキー教室に行くとする。学校から片道二〜三キロの雪道を、一列になってスキーを担いで歩いて往復するのだったが、その行動でクラスの誰かが教員の指示に従わないで道路をスキーで滑って帰ったとか、全員に解散が宣言される前にある班が勘違いして帰宅してしまったとか、じぶんが関与していない（あるいは関知するにはずいぶん離れたところで引き起こされた）失敗やルール違反についても、悉くじぶんの責任が問われた。つまり「啓くん、あなたが気をつけていれば、こういう事態は防げたのではないですか？」「自分の知らないところで起こったことだとしても、少なくても常日頃の行動のなかで、あなたにそれを防ぐためにすべきことはあったでしょう。あなたはそれをしていましたか？」と、こういう具合にである。

これは、集団主義とか連帯責任とかいうのとは異なる。集団のあらゆる問題を、特定の個人の責任として引き受けるよう迫る教育だ。学級委員を代わってからも、じぶんは同じように個人として集団に対する責任を追及された。毎日、その日の行いに関する総括をノートを書き、それを先生に提出し、〃自己変革〃していかなければならなかった。

なぜじぶんだけが（ほんとうはじぶんだけではなかったのかもしれないが）いつも責任を追及されたのかはよくわからない。学級委員を何度も務め、クラスでは比較的学業成績が良く、授業（とりわけ観客のいる「研究授業」）で教師の期待に応えるような発言をよくする子どもではあった。そして比較的従順で、責任感も強かったからなのかと思うほかない。

こうしてタツコばんばから受けた影響は、その後永くじぶんを拘束した。

日本は自民党や右翼勢力によって支配され、民衆の自由が奪われ、再び戦争へと向かっている。それに対して自由と民主主義を守るため、じぶんは何かをしなければならない・・・。たとえば、自分の住む街がファシストのような連中に占領され、じぶんが少年レジスタンスのように地下に潜行して抵抗を組織する・・・小学五・六年生のとき、ひどい息苦しさや圧迫感を感じながらそんな夢を何度もみた。

政治的あるいは思想的な責務だけではない。どんな事柄であれ、社会的な問題でそこに人々のためにしなければならない課題があるとしたら、じぶんはそれに誠意をもって関与しなければならない。事象の行き先を読み、それに対して注意を怠らず、しかも個別的に人を助けるというよりも、先導的な視点から、事象があるべき方向に進むように影響力を行使できるよう努めなければならない・・・。こういう使命感（というよりも強迫観念）に無意識のうちに拘束されている自分を振り払うことができたのは、望まない大学に入って挫折を経験し、学生演劇に関わってアンダーグラウンド演劇の思想や方法論に触れてからだった。

演劇や文学に触れたことで、じぶんはいったんは〝タツコばんばの呪い〟を振り払うことができた。〝当為〟の重荷から解かれたじぶんは、倫理主義的に硬化していた当時（一九七〇年代後半）の学生運動には関わらずに済んだ。しかし、やがて二〇代の終わりから三〇代の半ばまで労働組合活動（対自的にはそれは組合運動でも労働運動でも政治運動でもなかった）にのめり込むことになり、その後は組合活動からも離れたが、今度は自らの仕事に対する入れ込みにおいて、当為（それはあくまで対自的なものだが）の世界を生きてきてしまったという想いがしている。

じぶんの仕事における姿勢や業績はあまりにささやかで、とうてい自慢することのできるようなものではない。それどころか、組合専従をしたということで人事上冷や飯を食わされていて、毎日が自分のクサる気持ちとの闘いである。しかし、対自的には、いまこの歳になっても、この呪いから自分を完全に解放することができないでいる。

だから（というのも不条理な話だが）、じぶんは、原武史氏がこの著作で見せた複雑な想いに魅かれつつ、ある部分では〝いい気なものだな〟と辟易している。彼は、戦後史のある現実の中を生かされ、その体験から「トラウマ」を負う。だが、その忌避すべき現実からエリート予備軍の世界に脱出し、さらにはそのセレブぶった〝慶応的なるもの〟からも離脱して、東大を卒業し大学教授になっている。

彼は、自分にトラウマを与えた歴史的事実を記録するために、かつてのクラスメイトや教師を訪ね、話を聴いて歩く。しかし、そこには、「滝山コミューン」以後、人々の歩いてきた道はまったく描かれない。プライバシーに配慮したといえば聞こえはいいが、少なくてもこの著作には、同じ環境を生かされ、自分がそこを脱出した後もその世界（滝山団地）に残った人々の姿に対する視線が存在していない。

最後に蛇足。

四〇代に差し掛かった頃、そのクラスの同級会が開かれた。呼びかけ人の中心人物は、いちばんの悪ガキの劣等生で、いつも先生に叱咤されていた男だった。驚いたことに、関東でタクシー運転手をしている彼は、タツコばんばを母親のように慕い続けていたのだった。

しかし、八〇歳を過ぎ認知症の初期症状が出始めていたタツコばんばは、同級会の当日、会場に現れなかった。幹事が迎えに行っても、「あなたたちにひどい教育をした。私には同級会であなたたちに囲まれる資格がない。」と言って、頑なに家を出ようとしなかったのだ。じぶんは、彼女があの学校での日々をじぶんと同じように今も重く抱えているのだと、このとき初めて知った。そして、その瞬間、少しだけ何かが晴れるような想いがした。

そこで、今度はじぶんが迎えに行った。単身で暮らす彼女の締め切った家には、心を病む者の家に特有のあの匂いがしていた。じぶんは、すでにあのタツコばんばと向き合っているのではなかった。かつて福祉六法担当のケースワーカーをしていたときの心持ちに回帰し、衰え自信をなくしているひとりの老婆と向き合い、彼女を慰撫しあれこれの話術で元気付けていたのだ。タツコ先生、おれはもうあなたを赦している・・・心中で自分に言い聞かせるように語り掛けつつ。

玄関先で一時間あまりも話し込み、やっとタツコばんばを同窓会に連れ出した。宴会場に現れた彼女はかつての威厳を失って弱々しく見えはしたが、多くのクラスメイトについて彼らをめぐる出来事や家族関係などの背景も含めて、驚くほど鮮明で確かな記憶をもっていた。会はとてもなごやかに進み、参集者たちはタツコばんばを見送ると、一様になにか大きな宿題を仕終えたとでもいう表情を見せていた。

「戦後民主主義教育」が、じつはむしろ戦前的な精神のバックボーンに規定され、自由主義的な「個人の尊厳」や「自由な意思」を重視するようなものではなかったこと。そして、保守派の多くが未だにバカの一つ憶えのように批判し続けているかつての「日教組」の教育が、じつは戦前・戦

中的な精神性と連続した土壌のうえに存在したことに、われわれはもう少し考慮を払ってもいいだろう。（了）

13　吉本隆明さん、お世話になりました。

吉本隆明さん。二〇一二年三月一六日、あなたは鬼籍に入られました。じつはこの年が明けてから、じぶんには、なんとなく、そろそろあなたの生涯が閉じられるのではないかという予感がありました。

昨今は、ハードディスク付きのデジタルテレビという便利な家電製品があり、じぶんは、NHK・BSで放映されたあなたの講演会の様子を編集した番組を録画しておりました。(二〇〇八年の夏に糸井重里さんが企画し、昭和女子大学の講堂で開催された芸術言語論についての講演会です。)

それで、居間のテレビのスイッチを入れれば、今もあなたの姿を見、あなたの声を聞くことができます。車椅子を介助者に押されて登壇したあなたは、それでも講演に入ると身体の不如意を感じさせない佇まいとなり、相変わらず明晰なことばを繰り出していました。濃密な想いが籠められているがゆえの、あの訥弁の熱い語り口は、かつてじぶんが実際に生で講演を聴いたときと比べても、さほど衰えを感じさせないものでした。

でも、残念ながら、八〇代のあなたの言葉から(というか、七〇代半ばで水泳中に溺れかけた事件以降のあなたの言葉から)、すでに新たに学ぶものはありませんでした。もしあなたが六〇代で逝去されたのだったとしたら、じぶんには少なからぬショックがあったと思います。でも、八〇代のあなたをならば、じぶんは淡々と見送ることができるのでした。これが、人が老いるということ恐ろしさであり、同時に最大の効用なのだと思いました。

吉本隆明さん。とはいうものの、じぶんはあなたへの感謝の念を忘れたことはありません。

じぶんは一九七六年に大学に入りましたが、そこで知り合った先輩にこれを読んでみろと差し出された『共同幻想論』に、とても救われた経験があります。

当時、じぶんは一八歳か一九歳でした。子どもの頃から空想癖があり、青年期に差し掛かってもアタマがぼ~っとしていたじぶんは、七〇年代に入って以降、高度経済成長と裏腹にこの日本という国の情況が急速に閉塞していくように感じ、鬱病者の如くに長いあいだ暗く重苦しい想いに囚われていました。じぶんは、この閉塞感と保守政権による社会支配の強化とを一緒くたにして、それに「天皇制」という名称を与えていました。昨今の人びとは、かつて日本に〈天皇〉という存在があったことを忘れたかのようですが、あの昭和天皇が存在していた時代には、じぶんのような〝幼いカナリア〟には生き難い、いわば古典的な事情があったのです。いとおしい隣人であるはずの世の人々が、自ら進んで支配されることを望んでいくような、あるいは支配されることを拒否する人間を抑圧し排除していくような、そんな世情を眼にしては、まるでタルコフスキーの映画『サクリファイス』の主人公のように、世界の悲嘆と絶望とを一身に負わせられているかの如き関係妄想に悶えていたのだったと思います。

そんなじぶんの妄想による苦しみを、あなたの『共同幻想論』は解きほぐしてくれました。お前を苦しめているものは人びとの〈共同の幻想〉なのだ・・・その一言が風のようにやってきて、じぶんの頭蓋のなかの濃霧を切り裂き、その先への視野を拓いてくれたのです。未熟な政治学徒だったじぶんは、その後、丸山眞男『現代政治の思想と行動』や藤田省三『天皇制国家の支配原理』などにも触れ、じぶんが恐れ慄いている〈天皇制〉が、いくつかの位相における幻想に他ならず、あるいは意図的な工作物であったことを知ります。ある西洋の思想家が「リバイアサン」と呼んだもの、それは底知れぬ魔力を振るう怪物であることをやめて、いつしか腑分けすべき対象物に変わり始めました。

ただ、『共同幻想論』には、当時は腑に落ちない内容もありました。性を媒介とする関係性であるところの〈対なる幻想〉について、吉本さんは〈共同幻想〉と〝逆立〟するものとしてその重要性を語りましたが、じぶんは、一対の男女の関係に生成する幻想と〈家族〉という幻想が、同じ〈対幻想〉という言葉で括られていることに異和を感じていたのでした。

つまり、男女の性の世界がそれ自体として自立し他の世界と逆立するということはストンと理解できたのですが、〈家族〉という世界はむしろその一対の男女の世界と逆立するものであり、場合によってはあの忌まわしい〈共同幻想〉の細胞となる存在なのではないかと思っていたのです。当時はこの点がどうしても納得できずにいましたが、やがて二〇代の半ばに連れ合いと子どもを得たことによって、このことも次第に納得できるようになりました。

一対の男女の世界と〈家族〉の世界は確かに逆立しうるものです。それらは同じ世界として扱うことはできないもののはずです。しかし、吉本さんの言う〈共同幻想〉と〈対幻想〉とは、いわば人間の関係意識の問題と社会的な関係性の問題とをひっくるめたものであり、とても抽象度が高く、かつはとても幅広の概念なのだということに気づいたのです。そもそも、ここでは〝〈共同幻想〉と〈対幻想〉は逆立する〟と考えること、さらにはそのように発語することこそが重要なのでした。

そう、あなたの思想は、そのように〝決意〟し、〝発語〟するところに現出するところの何ものかだったのです。あなたはあくまでも詩人であり、あなたの思想は、まさに〝初めに言葉ありき〟だった・・・やがて『言語にとって美とはなにか』で明らかにされる〈自己表出〉と〈指示表出〉

との複合物としてあなたの思想のことばを受け止めることが、あなたの思想を理解するための必要条件なのでした。

ところで、じぶんが吉本さんの生身の姿を目にしたのはたった二度に過ぎません。一度目は、明治神宮絵画館の暗い部屋での講演でした。たぶん、一九八〇年代の初め頃です。当時、首都圏の文化情報誌『ぴあ』には、こうした非営利的な文化イベントの情報も掲載されていましたから、じぶんはそれで文芸誌の編集部か何かが主催する「吉本隆明講演会」を見つけ、山形から六時間余りの距離を夜行の急行列車で出かけていったのだったと思います。

もっとも、このときは吉本さんの話の内容にがっかりしたのを憶えています。なぜなら、吉本さんは、開口一番、今日は講演の準備が出来ていないと言われたからです。主催者との打合せに行き違いがあったような話でした。そして、準備ができていないから、とりあえず手元にあった最近の文芸誌に掲載されている作品の感想を述べるというような話をされたのだと思います。

二度目は八〇年代の後半だったと思いますが、吉本さんがポーランドの自主管理労組「連帯」を、展望されるべき社会主義に向けた動きとして高く評価し、精力的にその旨を論文や講演で発表していた頃です。〃吉本隆明が岩手大学で講演をする〃と聞き、友人の車に便乗して盛岡に駆けつけました。

吉本さんは、大きな模造紙にレジュメの内容を手書きした巻紙のようなものを持参し、それを大講義室の黒板に貼り出して、「連帯」がなぜ展望すべき社会主義の試みなのかを熱く語ってくれました。その内容はよく理解できましたが、じぶんは心の中で〃それは期待のし過ぎだよ。労働組合にそんなに期待したって、時間が経過すれば形骸化してしまうよ・・・〃と、どこか醒めた感覚で聴いていたような気がします。当時は、そんな自分が、数年後には労働組合運動にどっぷりと関わっているなんて想いもよりませんでした。

さて、緩い文章がだらだら続くのはみっともないですから、あと少しで終わりにしたいと思いますが、最後に、あなたに二つだけ難癖をつけさせてお別れにさせていただきたいと思います。

そのひとつは、まず、あなたの思想には〃中身がなかった〃ということです。このように言うととても誤解されると思いますが、その意味は、あなたの文章（この後、あえて作品と言いますが）を追究していけばいくほど、そこには大きな空隙が開かれていて、それを埋めるのは読み手自身だったということです。言い換えれば、あなたの作品に、その文脈が対象としている概念や事柄についての、何がどうだという説明や種明かし、つまりは〈指示表出〉としての内容は存在せず（〃存在せず〃というのは言いすぎで、ほんとうは〃納得できる形では提出されておらず〃というべきでしょうが）、その代わりにそこに現れてくるのは、読み手自身による疑問の抱懐とその疑問へ自ら立ち向かうことの衝迫、つまりは〈自己表出〉として湧出する意志だったのです。だから、あなたの読者は、すべからく、つねに／すでに、情況における主役（主観的な、という形容詞付きかもしれませんが）に成ることになっているのでした。ここにあなたの作品の魅力があり、その魅力のカラクリがあると思っておりました。

もうひとつは、あなたが展開した（あるいは心ならずも応戦した）数多くの論争におけるあなたの姿勢に対する異和です。論争におけるあなたのことばはいつも苛烈で、また時々べらんめぇ調で、とても脅力があり、それゆえ魅力的でもありました。じぶんもその文体と作品とに魅了されたものです。そして、それらの論争のほとんどについて、じぶんはあなたの言っていることの方が真っ当だと考えてきました。

しかし、ここで敢えて異和というのは、論争するときのあなたが、なにか魔物に魅入られてでもいるかのように過剰に攻撃的になり、すでに社会的に影響力を失っている相手の実態を見誤って、その相手を徹底的に血祭りに上げてしまうことに対するものです。思想的な論争とは命がけのもので、そのように厳しいものだと言われればそんなものかもという気もしないではありませんが、別の見方をすれば、あなたの心性の片隅に〝奴は敵だ、奴を倒せ〟という昏い性根（それをあなたは〈関係の絶対性〉という側面から語りましたが）の遺伝子が、まったく顔つきを変えながら残存していたのだと言うこともできそうな気がします。とくに黒田喜夫に対するあなたの罵倒の苛酷さは忘れることができません。それは、たぶんあなたが中野重治などの古い時代の人たちと論争したときに相手に罹患させられた〝レトロウイルス〟によるのではないかというのが、じぶんの素人診断でした。

いまこうして思い起こすと、二〇代のじぶんの周りには、「吉本さんがねぇ・・・」とか、「廣松さんはねぇ・・・」とか、偉い思想者を〝さん〟付けで親しげに語る者が何人かいました。じぶんは、その感覚に同調できなかったので、いつも「吉本隆明」と言っていました。いま、ここでこうして鬼籍に入られたあなたに、初めて〝さん〟付けで呼びかけるのですが、これがあなたをそのようにお呼びする最初で最後の機会になると思います。

また近いうち作品のなかでお会いすると思いますが、とりあえず一言お別れを言わせてくださ

い。・・・さようなら吉本隆明さん、ほんとうにお世話になりました。（了）

14 解題

【オウム　その不可能性の中心】
木村迪夫発行・高橋英司編集の詩誌『山形詩人』第二三号（一九九八年一一月二〇日）掲載。題名は柄谷行人『マルクスその可能性の中心』（一九七八年・講談社）の捩り。九五年の「地下鉄サリン事件」以降、オウム真理教に関する論考は簇生したが、高啓はそのどれにも納得させられなかった。宮台真司の「終わりなき日常」という認識を踏まえながら、オウム事件の核心的な意義を原始仏教における〈現実否定という観念〉が純化して「転向の不可能性」を開示してしまったことに見定め、「否定の否定」つまり「現実を否定する理念を否定する理念の方程化」こそが課題だと措定した論考である。

【先験的自立者の憂鬱　―立中潤ノオト―】

「一〈影〉と〈蛙〉―『非連続現実〈夢〉』―」は、ガリ刷りによる高啓個人誌『グルントリッセ』第一号（一九八一年一〇月）掲載。この個人誌は一号のみで終刊。

「二〈全共闘運動〉論」は、山形で岩井哲（現「書肆犀」主宰）らと立ち上げた詩誌『異貌』創刊号（八二年七月）に発表。「三　詩の根拠」は同第二号（同年一二月）、「四　解体論」は同第三号（八三年八月）に発表。

立中潤（本名・山﨑秀二）は、一九五二年、愛知県幡豆郡幡豆町（現・西尾市）生まれ。西尾高等学校から七〇年四月、早稲田大学第一文学部入学。革マル派に関わるが、のちに離反し、学生時代からガリ刷りの個人誌や同人誌『漏刻』などに詩や評論を発表。北川透編集・発行の詩誌『あんかるわ』にも寄稿した。七四年一一月詩集『彼岸』（私家版）刊行。七五年三月、地元の信用金庫に就職が決まり、研修を受け始める。同五月二〇日未明、自死。二三歳だった。没後、七六年に詩集『「彼岸」以後』（漏刻発行所）が刊行された。また、弓立社の宮下和夫が遺稿を編集し、七九年に同社から『立中潤遺稿　詩・評論　叛乱する夢』、『立中潤遺稿　日記・書簡　闇の産卵』を出版した。この書には北川透が解説を書いている。

〈先験的自立者〉は、立中が日記で自らに関して「先験的な『自立』」と書き記しているのを受けて、本稿執筆にあたって高啓が造語したもの。高啓にとっては、特定のイデオロギーから放たれているという知的出自における自己規定であり、学生叛乱の時代に〝遅れてきた青年〟としての自嘲的宣言でもあった。

なお、高啓が立中潤を知ったのは北川透の評論を通じてだった。本論を書いたことで、学生時代に立中と交流があり当時東京・新宿ゴールデン街で居酒屋「トウトウベ」を営んでいた安田有（後の古書店「キトラ文庫」主宰）と知遇を得た。本書所収の「連合赤軍事件をどうとらえるか」で安田の文章に触れている。

【『全共闘記』論　〈関係の相対性〉の絶対性について】

「表現・関係・主体─兵頭正俊『全共闘記』論ノオト」と題して『異貌』第四号（一九八三年一二月）から第六号（八五年三月）まで連載。第四号掲載の「序」は本書未収録。本書には、本論の「一、倫理的純化主義（Sittlicher Purismus）」のうち第五号（八四年八月）掲載の部分を「一　自己同一性の否定とその結晶化」とし、また第六号掲載の部分を「二　倫理的純化主義から〈絶対的な相対性〉へ」と改題して所収した。

本論は吉本隆明が「マチウ書試論」で提起した「関係の絶対性」という概念を受け止め、これを「〈関係の相対性〉の絶対性」という概念として独自に定立している。この「〈関係の相対性〉の絶対性」を脅かす〈不安〉については、次節の「〈アンダー・グラウンド〉以降への一視角」でも予言的に記されている。

兵頭正俊は一九四四年・鹿児島県生まれ。六八年・立命館大学卒業、七一年・同大大学院中退。兵庫県の高校教員を務めた。小説に「全共闘記」と題されたシリーズ、つまり『死閒山』（一九七七年・鋒刃社）、『二十歳』（一九七九年年・鋒刃社）、『霙の降る情景』（一九七九年・三一書房）、『希望』（一九八一年・鋒刃社）、『三月の渇き』（一九八五年・三一書房）、『怜悧の憐れみ』（一九八六・三一書房）など、評論に『ゴルゴダのことば狩り』（一九八四年・大和書房）などがある。

高啓は吉本隆明が発行していた寄稿誌『試行』誌上で「全共闘記」を知った。兵頭正俊は老後にネット上で発信していたが、それらの言説は高啓の考慮外にある。

【〈アンダー・グラウンド〉以降への一視角】

高啓演劇論集『劇的乾坤のために』（一九八五年一〇月・書肆犀）所収のため書き下ろした「〈アンダー・グラウンド〉以降への一視角―『第三エロチカ』の問題」を再録した。なお、同書所収の「〈構造〉とその死　―浅田彰『構造と力』―」は、山形で発行されていた商業的評論誌・月刊『場』（岩井哲編集）一九八四年六月号の「演劇時評」として書かれたものだが、本書を編むに当たってこれを本論の「序」と位置付けた。

高啓が学生演劇に関わって影響を受けた所謂「アンダー・グラウンド演劇」の方法的限界を身を

もって認識しつつ、かつは時代を席捲した「ポストモダニズム」の影響を否応なく受けながら、その「ポストモダニズム」を如何に超えていくかという志向性のもとに記された論考である。

【真壁仁論　―「進歩的地方文化人」の一典型としての―】

真壁仁研究編集委員会編『真壁仁研究』第七号（東北芸術工科大学東北文化研究センター発行・二〇〇七年一月）に「ぼくらにとって〈真壁仁〉はどういう問題か」と題して発表。『真壁仁研究』は、真壁を高く評価していた赤坂憲雄（当時東北芸術工科大学教授・東北文化研究センター所長）が中心となって創刊された研究誌。高啓と岩井哲の論稿を除き、全七巻に掲載されたすべての論考・作品批評・随想等が真壁を礼讃または肯定的に評価するものだった。高啓は従前より同じ山形で文学に関わる後世代として真壁に批判的な考えを述べていたが、編集委員の一人であった詩人・木村迪夫の誘いに応じて寄稿した。木村は真壁を文学上の父として敬愛していたが、掲載される論稿がすべて真壁を肯定的に評価するものばかりであることは望ましくないとして高啓に声をかけた。なお、『真壁仁研究』は本論を掲載した七号をもって途絶した。

この論は高啓による「転向論」でもある。註7で言及しているが、吉本隆明がその「転向論」において重視する中野重治「村の家」は、じつは吉本転向論の問題意識に沿うような内容ではないこと。むしろ吉本転向論の視角から論究すべきはまさに「村」に暮らしていた真壁仁における転向であること。など、独自の視点から転向研究としての「真壁仁その可能性の中心」に言及している。

なお、ウラジミールとエストラゴンは「不条理劇」として有名なサミュエル・ベケットの戯曲『ゴドーを待ちながら』の登場人物の名を借りたもの。

【黒田喜夫論　《演劇的な詩》とその行方について】

『山形詩人』（第二次第三号：通巻九六号・二〇一七年一〇月）に「黒田喜夫における演劇的な詩の位相とその行方について」と題して発表。黒田喜夫の表現と思想の中心に置かれた《飢え》が、それ自体の本質として自己否定の弁証法過程を辿っていくものであることを手掛かりに、「毒虫飼育」に結実した《演劇的な詩》の地平を明らかにしている。

山形県詩人会は、二〇一七年度の日本現代詩人会主催「現代詩ゼミナール〈東日本〉」の主管を引き受け、高橋英司らの企画により一〇月に酒田市において「吉野弘と黒田喜夫の山形」というテーマで詩の朗読と批評の会を開催した。高啓はここで本論の冒頭部分について短時間で報告し、併せて本論掲載の同誌を配布した。つまり本論はこのイベントを機に書き下ろされたものである。

高校時代、現代国語の授業がつまらなくて教師の目を盗んで勝手に読んでいた副読本のなかに黒田喜夫の詩を見つけ、名状しがたい衝撃を受けた。七〇年代の終わり、山形大学の学生だった高啓は、当時山形県内の文学活動の仕掛け人のような存在だった安食昭典から晩年の黒田も同人に名を連ねていた詩誌『幻野』に誘われ、同誌に論稿が掲載されたことを単純に嬉しく思った。黒田喜夫の詩は久しく特別な存在だったが、黒田の詩と出会ってから四〇余年を経て、本論を書くことで一定の決着をつけたことになる。

【秋山清論　ニヒリズム・アナキズム・テロリズムの転形過程】

群馬県で愛敬浩一・樋口武二が発行していた詩誌『詩的現代（第二次）』三五号（二〇二〇年一二月）に発表。同誌は、毎号特集としてテーマを定め、評論を募集していた。「特集・秋山清」のお題に応えようと泥縄的に執筆されたものだが、ニヒリズム・アナキズム・テロリズムの転形過程について考えながら、思いがけずも「テロリズムの本質的な不可能性」つまり「テロリズム その不可能性の中心」を論考するところに至っている。

【吉行淳之介論　堕胎・嬰児殺し・子捨ての観念はどこからくるか】

『詩的現代（第二次）』三四号（二〇二〇年九月）の「特集・とりあえず、吉行淳之介」に向け、「空虚は畏怖で埋められるか―吉行淳之介における堕胎・嬰児殺し・子捨ての観念」と題して発表。「とりあえず、」というお気楽な構えで吉行作品に取りかかったものの、吉行作品に繰り返し出てくる堕胎・嬰児殺し・子捨ての観念つまり〈未知の生〉に対する吉行の畏怖を考察するうち、これまた思いがけなく、空虚を埋める「性愛」の意味を極めてザッハリッヒに定言することになった。

【草彅剛のヒトラー　ブレヒト劇　―だれが、なにを、異化するのか―】

『詩的現代（第二次）』三三号（二〇二〇年七月）の「特集・ブレヒト」に向け、「だれが、なにを、異化するのか。―草彅剛のヒトラー―」と題して発表。神奈川芸術劇場主催の演劇『アルトゥロ・ウイの興隆』（ブレヒト作・白井晃演出）の舞台批評を通じて、ブレヒトの言う〈異化〉効果を論じている。この舞台は主役に草彅剛という多くの強固なファン（所謂「推活」をする自分たちを「ＮＡＫＡＭＡ」と呼び合う）を持つ役者を起用したことで十分な観客動員を果たした。舞台から大衆を扇動するヒトラー役の草彅剛のパフォーマンスに観客がどう反応したのか、それをこちら側がどう受け止めるかを手掛かりに、二〇二〇年の本邦の政治・社会状況を意識しながら〈異化〉

の意味を追求している。

【〈路上〉なんてものはない　―『イージー☆ライダー』と『ノマドランド』にみる〈特権〉―】

『詩的現代（第二次）』三八号（二〇二一年九月）の「特集・路上」に寄稿。

心理学者ユージン・ジェンドリンの〈フェルトセンス〉という概念を手前勝手に借りながら、七〇年代の「ニューシネマ」に共通する「なにか巨大なものにぶち当たって砕け散り途絶する生というイメージのモード」こそが「現状の〈擬似的止揚〉とでも言うべき無意識的な向日性を帯びている」と論じ、それを「団塊の世代」の特権的な属性と指摘している。ここで〈路上〉と言われているものはこの特権に他ならず、批判は〝遅れてきた〟世代の在りようを逆照射するものでもある。

【連合赤軍事件をどうとらえるか　―若松孝二監督作品「実録・連合赤軍」に触れて―】

二〇〇八年八月一七日付で、高啓のブログ『詩と批評』に「映画『実録・連合赤軍』について」と題して掲載。

この映画に関して森恒夫について述べた安田有の文章に触れながら、永田洋子『十六の墓標』と笠井潔『テロルの現象学』を参照し、「観念の弁証法による自己膨化」に「連合赤軍事件」の「不可能性の中心」をみる論考。少年期から青年前期までの筆者自身の精神史から問い直す対自的な立論が行われている。

【極私的「戦後民主主義教育」論　―原武史著『滝山コミューン一九七四』をめぐって―】

二〇一一年五月三日付で、高啓のブログ『詩と批評』に「原武史著『滝山コミューン一九七四』感想及び余談」と題して掲載。

原武史の著作から読み取ったものを敷衍しつつ、自らの体験から「戦後民主主義教育」が戦前の全体主義・精神主義と地続きの思想・規範に拠っていたことを論じている。

【吉本隆明さん、お世話になりました。】

二〇一二年五月二四日付で、高啓のブログ『詩と批評』に掲載。同年三月に亡くなった吉本隆明への追悼文の形をかりた極私的な「吉本隆明論」である。

ここで言及されている吉本隆明講演会は、「社会主義構想としての〈連帯〉について」と題して一九八二年一一月五日、岩手大学新聞会によって催されたもの。講演後の質疑応答の際に高は次のように質問した。

《まえの方のお話で、生産＝労働社会で生きる賃労働者としての存在と、消費社会で生きるイメージのなかの自分の存在とが乖離していくということをいわれましたが、吉本さんの最近の仕事、『空虚としての主題』や「マス・イメージ論」を読ませていただいて、ぼくらはそういうところで、なんというか潜在的にある共同的な意識っていうものが、吉本さんの所謂「エンターテイメントの文化」とか、「ポップ文学」とかそういうところに映し出されているんだということ、そういうのはやはり凄いなっておもうところがあるんです。だけれども、そういうところ、また吉本さんのお言葉をお借りすれば、それが歴史の「大道」だっていわれていますが、そういう言い方もすごくわかる訳なんです。つまり歴史っていうのは良い意味でも悪い意味でも前にしか進まないっていう意味で。ただ、そういうときにこだわるのは、文化とか、社会とか、あるいは幻想とか、全部ひっくるめてそのなかに自分がいる場合に、じゃあ、自分の〈自己〉っていうのはどこにあるのかっていう―。つまり戦後過程のなかででてきた〈自己〉っていうもの。自分の全体性みたいなものをどこかに築かないとやっていけないっていう問題が、どこで拮抗していくのか。あるいは、歴史の「大道」といわれる潜在的な意識の流れやその象徴としてあらわれる文化や、共同の主観性や、そういうものに対して〈自己〉がどう拮抗し、またそれらをじぶんの思想のなかにどういうふうに繰り込んでいけるかってことが、ぼくなんかにはすごく重要におもえるわけなんです。そこのところを、ちょっと具体的にお話しいただきたいんです。》

（この質疑は前掲の『異貌』第四号に、「表現・関係・主体―兵頭正俊『全共闘記』論ノオト」の「序」の一部として掲載。）

著者 高　啓（こうひらく）

1957年秋田県湯沢市生まれ
1980年山形大学卒業、1982年～2019年山形県職員
2023年現在、スクールソーシャルワーカー

職業的自分史	『非出世系県庁マンのブルース』（2022 高安書房）
詩　集	『母のない子は日に一度死ぬ』（2001 書肆犀）
	『母を消す日』（2004 書肆山田）
	『ザック・デ・ラ・ロッチャは何処へいった？』（2007 書肆山田）
	『女のいない七月』（2012 書肆山田）
	『午後の航行、その後の。』（2015 書肆山田）
	『二十歳できみと出会ったら』（2020 書肆山田）
演劇論集	『劇的乾坤のために』（1985 書肆犀）

切実なる批評―ポスト団塊／敗退期の精神―

二〇二三年一〇月一日　初版発行

著　者　高　啓
発行所　高　安　書　房
郵便番号　九九〇―〇八四五
山形市飯塚町二〇三六―一
ＴＥＬ／ＦＡＸ
〇二三―六四五―四〇三二
印刷所　中央印刷株式会社

落丁本・乱丁本は購入書店を明記のうえ、小社宛にお送りください。送料小社負担にてお取り替えいたします。

ISBN978-4-9912743-1-2

高 啓 詩集

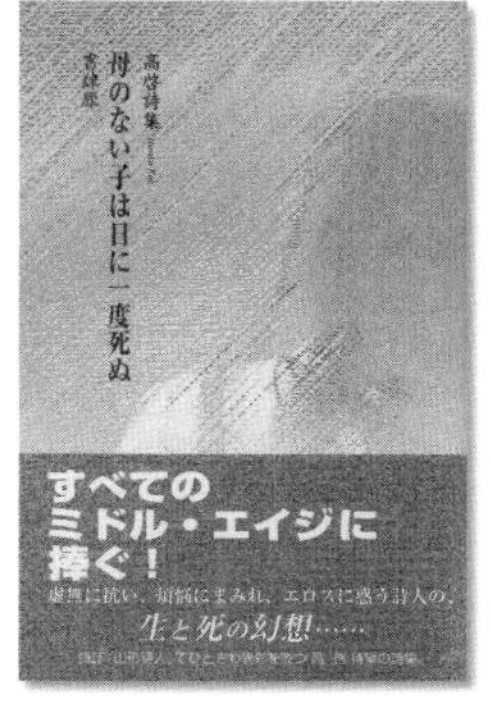

『母のない子は日に一度死ぬ』
（2001年・書肆犀）

著者が初めて出版という形で世に問うた第二詩集。

煩悩にまみれエロスの世界に惑うミドル・エイジの生と死の幻想が、性急かつ切迫した言葉で描かれる。現実と幻想と虚構とを交叉しながら重層的に生き様を描く著者の詩的方法が早くも闡明された記念碑的作品群。第1回山形県詩人会賞受賞。

（93ページ／本体価格1,600円／高安書房直売価格・送料込1,300円）

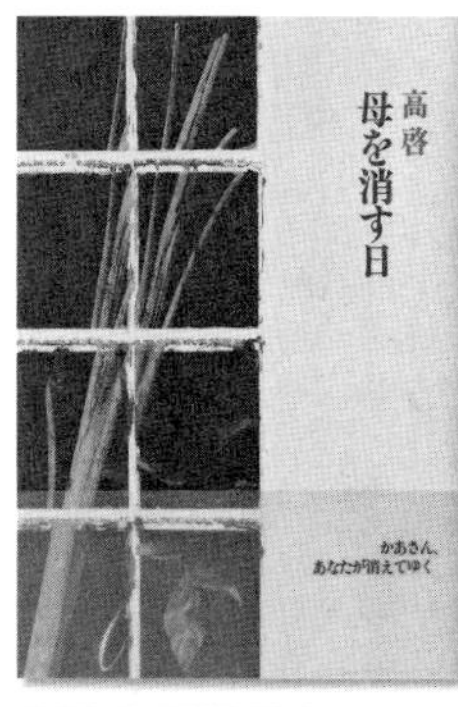

『母を消す日』
（2004年・書肆山田）

胃癌の再発からその最後まで、同居する義母（妻の母）に寄り添う時間は、同じく胃癌で亡くなった実母のイメージが再帰し交叉する時間でもあった。137行を一気に畳みかける長詩「かさあさん、あなたが消えていく」ほか、エロスの世界を彷徨う物語８作品を収める。H氏賞最終選考における決選投票で常識派に敗れた問題作。

（ISBN4-87995-601-5　81ページ／本体価格2,200円／高安書房直売価格・送料込2,200円）

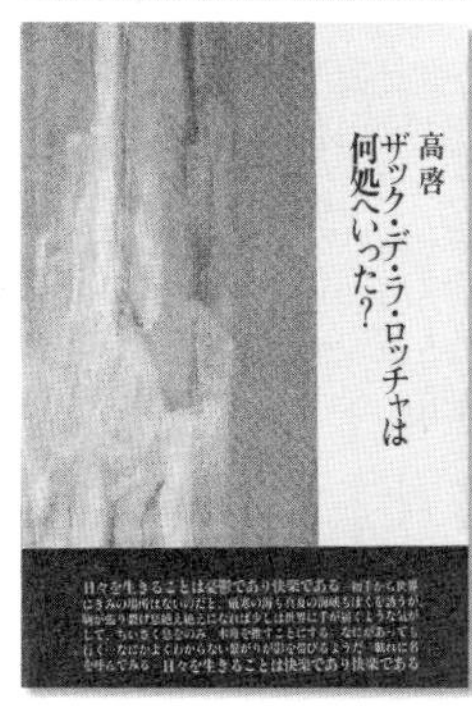

『ザック・デ・ラ・ロッチャは何処へいった？』
（2007年・書肆山田）

“宿痾”たる自意識を痔核とその手術になぞらえ、ロック・グループUriah Heepの楽曲「Look At Yourself」（邦題「対自核」）と交叉させて描く冒頭の「対痔核」、読者の共感を呼んだ家を出ていく息子へ向けた「贈る言葉」ほか、さらに深く潜航するエロス的幻想と魂の救済を求める14篇の物語。山形市芸術文化協会奨励賞受賞。

（ISBN978-4-87995-717-7　105ページ／本体価格2,500円／高安書房直売価格・送料込2,500円）

『女のいない七月』
（2012年・書肆山田）

乳癌手術からアジュバント療法へと至る連合いに寄り添う冒頭の「冬の構造」、その連合いが旅に出た後を描く表題作「女のいない七月」、エロスとタナトスを民譚風に描いた「逆さ蛍」など、一部論者から高い評価を受けた作品を含む15篇。完成度の高い著者の代表的詩集。山形市芸術文化協会優秀賞受賞。

（ISBN978-4-87995-839-6　105ページ／本体価格2,500円／高安書房直売価格・送料込2,500円）

『午後の航行、その後の。』
（2015年・書肆山田）

カートを押しながらスーパーを“航行”する男に訪れる幻覚。職業経験によるトラウマを描いた冒頭の「午後の航行」、孫たちを連れて歩きながら暗い思考にとらわれていく表題作「午後の航行、その後の。」など、無様に足掻く壮年期を饒舌に記録した異色の詩集。珠玉の小品「雪坂下の女」を含む14篇。

（ISBN978-4-87995-931-7　77ページ／本体価格2,400円／高安書房直売価格・送料込2,400円）

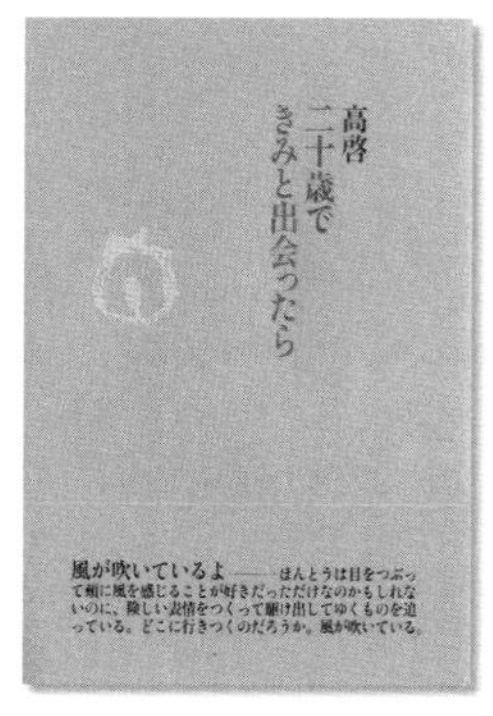

『二十歳できみと出会ったら』
（2020年・書肆山田）

エロス的経験の個有性を突き詰めることで普遍性に辿り着くことは可能か。未来完了形を用いて場面と時制の重層化を試行する表題作「二十歳できみと出会ったら」。自己批評を物語化する試みの散文詩「岳父落下論、そして、おれも。」、同「よわよわ論」など、新境地を開示する17篇。山形市芸術文化協会賞受賞。

（ISBN978-4-86725-004-4　107ページ／本体価格2,500円／高安書房直売価格・送料込2,500円）

これらの詩集ご購入については、高安書房に直接ご注文ください。